EN MILIEU
OUVERT

BRUNO ROUGIER

EN MILIEU
OUVERT

CAHIERS D'UN ÉDUCATEUR

ÉDITIONS DU SEUIL
*27, rue Jacob, Paris VI*e

© Éditions du Seuil, 1978

ISBN 2-02-004787-X

Vos enfants ne sont pas vos enfants,
ils sont les fils et les filles de l'appel de la vie à elle-même...

Vous pouvez vous efforcer d'être comme eux,
mais ne tentez pas de les faire comme vous;
car la vie ne va pas en arrière, ni ne s'attarde avec hier.

Khalil Gibran, *le Prophète*

Préface

Quelques-uns des enfants que vous allez découvrir dans ce livre se seraient retrouvés, entre les années trente et quarante, dans des bagnes d'enfants, tels qu'Auguste Lebreton en fait la description dans les Hauts Murs. *Ce n'est qu'en 1942 que les premiers éducateurs commencent plus ou moins bénévolement à s'occuper de ces enfants en danger. En prenant alors des risques importants, ils ont expérimenté des méthodes révolutionnaires pour l'époque. Supprimer les barreaux, ouvrir les portes, faire sortir ces jeunes a été une tâche à la fois exaltante et difficile à mener.*

Dans les années qui suivirent, la plupart de ces mêmes enfants auraient vécu à plusieurs centaines de kilomètres de leur milieu d'origine, placés dans des internats pour remplacer leurs familles ; celles-ci ayant été jugées « mauvaises », l'enfant n'en entendrait plus parler.

Quelques années plus tard, ces mêmes garçons et filles auraient sans doute connu des éducateurs-techniciens s'exerçant à la « non-directivité », sous la houlette des nombreux « psy » qui les avaient rejoints. Mais ces gamins, petits et grands, avaient besoin avant tout de chaleur humaine et de compréhension plutôt que d'attitudes de neutralité, même bienveillante.

C'est à peu près à cette époque, il y a une vingtaine d'années, que sont nés les clubs et équipes de prévention et l'Action éducative en milieu ouvert (AEMO), complétant ainsi les différents types de prise en charge déjà existants : internats, semi-internats, externats, foyers, familles d'accueil.

L'AEMO, dont il va être question ici, est une mesure d'assistance éducative prise en faveur des mineurs dont « la santé, la sécurité ou l'éducation sont compromises ». Prononcée soit par le juge des enfants (ordonnance du 23.12.58), soit par le directeur de l'Action sanitaire et sociale (décrets de 1959 et 1971), l'AEMO permet à l'éducateur ou à d'autres travailleurs sociaux de rencontrer un enfant ou un adolescent dans la réalité de sa vie quotidienne, dans sa famille et son environnement social.

Cette action s'exerce dans tous les milieux et, le phénomène de l'inadaptation allant en s'amplifiant, de plus en plus de jeunes en bénéficient.

Actuellement il y a en France :

650 000 enfants pris en charge par l'Aide sociale à l'enfance, en 1972

160 000 mineurs en danger et délinquants

de 5 000 à 35 000 drogués

70 000 fugueurs

500 000 jeunes relevant d'une action préventive

50 000 environ de ces derniers sont suivis chaque année par les clubs et équipes de prévention et par l'AEMO.

Ces chiffres sont ceux donnés par René Lenoir, secrétaire d'État aux Affaires sociales, dans son livre les Exclus.

Il existe actuellement un ou plusieurs services AEMO (Action éducative en milieu ouvert) dans presque tous les départements, chacun d'entre eux définissant ses modalités de travail selon sa technicité et son implantation, en liaison avec ses mandataires. Le nôtre, celui du Vaucluse, a été créé en 1965 et reçoit quatre cents garçons et filles suivis pendant une durée moyenne d'un an et demi, chaque éducateur ayant la responsabilité de vingt-cinq à trente d'entre eux.

Au fil des années et de notre expérience grandissante nous avons expérimenté, individuellement et en équipe, des formes d'intervention qui correspondent bien à l'attente de ces enfants et de leurs familles. Elles s'appuient sur la compréhension que nous avons de l'autre et de nous-même, et sur notre engagement affectif, en laissant à la famille la place essentielle qui est la sienne au bénéfice de chacun de ses membres. Il s'agit toujours d'une action éducative non médicalisée ; car si un jeune éprouve des difficultés, ce n'est pas pour autant qu'il doit être considéré comme « malade ».

Comment l'éducateur perçoit-il la situation dans laquelle il va intervenir ? Quelles vont être ses attitudes, face aux acteurs de ce qui est vécu comme un drame familial ? Quelles sont les difficultés du jeune qu'il va prendre en considération ?

Bruno Rougier tente de répondre à ces questions, en artisan de l'action éducative ; entendez par là qu'il possède une connaissance née du contact direct avec l'être en difficulté et le souci du geste pour humble qu'il soit. Dans son atelier filtre une lumière très personnelle, faite de beaucoup d'attention, de plaisir et de clins d'œil vers l'enfance, à l'image de cette fête foraine dont les appels nostalgiques ne le laissent pas indifférent : c'est l'occasion de faire un détour pour mieux comprendre celui qui court la rejoindre ; peut-être est-ce là même prétexte de l'auteur !

Être éducateur, ne serait-ce pas pour l'essentiel un moment partagé avec celui qui trébuche ou que l'on ne comprend plus, au risque de perdre les belles nippes de savoir et de sagesse que l'on voudrait nous faire endosser comme un uniforme ?

Notre métier consisterait-il à laisser naître la confidence dans l'atmosphère enfumée d'une salle de bistrot ou à partager les gestes les plus familiers ? Serions-nous payés pour prendre le temps d'accepter une tasse de café ou de faire la lecture à une fillette : « Je n'ai jamais lu avec tant de conviction et à haute voix de telle sorte que Corinne en a pris beaucoup de plaisir » ?

Bruno Rougier garde un œil neuf sur les choses familières de la vie et ne s'embarrasse pas de mots complexes pour nous dire : « Je trouve que Sylvain grandit bien parce que sa poignée de main est plus ferme. »

Nous sommes alors un peu bousculés au fil des pages, concernés par cet adolescent dont les battements d'ailes maladroits nous dérangent : faudrait-il donc commencer à partager quelque chose avec lui ?

Il ne s'agit pas de simplifier à l'extrême ce qui reste le plus inaccessible : comprendre ce qui se passe en nous-mêmes à l'approche de cet « autre » placé sur une orbite marginale. C'est davantage sur ce terrain que l'on ressent une recherche de l'auteur.

Ces pages nous parlent ; nous étions spectateurs de la vie d'un étranger malmené par la vie et nous voici ramenés à l'interrogation de nous-mêmes.

André Gibelin et Christian Dova
éducateurs en milieu ouvert, Vaucluse

Avant-Propos

Je suis éducateur spécialisé. A ce titre, j'interviens auprès de jeunes en difficulté : les « inadaptés » comme on les nomme. Si vous croyez connaître quelques-uns d'entre eux à la lecture de vos journaux, sachez qu'au-delà du « fait divers », la vie fait des victimes de milliers d'autres anonymes. C'est eux que je rencontre. Qui sont-ils ? Que faisons-nous pour eux, au nom de qui et comment ? Toutes ces questions sont probablement les vôtres et je voudrais essayer d'y répondre, au-delà de toute argumentation théorique, en relatant ici ce qui me paraît être l'essentiel de mon travail : mes rencontres quotidiennes avec quelques-uns de ces jeunes et leurs familles.

Je travaille depuis cinq ans dans un service d'action éducative en milieu ouvert : l'AEMO, créé et géré par l'Association de Vaucluse pour la sauvegarde de l'enfance et de l'adolescence (ADVSEA). Nous y sommes une quinzaine d'éducatrices et d'éducateurs de tous âges, répartis en cinq secteurs couvrant la totalité du département en fonction des « circonscriptions d'action sanitaire et sociale ». J'exerce mon métier dans l'un de ces secteurs, regroupé autour d'une ville secondaire du Vaucluse, avec trois autres éducateurs, une secrétaire, un médecin psychiatre à la vacation, une psychologue psychothérapeute à temps partiel et, à l'extérieur du service, avec les autres travailleurs sociaux. Nous recevons des mineurs de tous âges, garçons et filles, présentant des troubles de caractère et de comportement.

11

Notre service n'est pas une structure d'accueil qui prend en charge matériellement ces jeunes; nous les suivons autant que possible dans leur milieu habituel de vie, pour les rencontrer tels qu'ils sont, là où ils vivent. Cette démarche suppose de notre part une grande souplesse d'organisation. Il est nécessaire que chacun d'entre nous puisse prendre des initiatives, soit responsable de son intervention et de ses moyens de travail, et, au-delà du respect des idées et de la tâche particulière de chacun, partage en équipe ses expériences. Ma démarche, aussi personnelle soit-elle, ne peut donc être dissociée d'une réflexion et d'une vie d'équipe qui garantissent l'opportunité et la qualité d'un tel travail.

Notre appartenance au secteur privé (association de la loi de 1901) permet encore actuellement cette souplesse de fonctionnement, assortie à un travail de recherche. Mais c'est la direction départementale de l'Action sanitaire et sociale (DDASS) ou bien le juge des enfants, par mesure de protection, qui oriente ces jeunes vers nous, à un moment particulièrement difficile de leur existence. Aussi cette procédure de prise en charge, notre financement par « prix de journées » assuré par la DDASS, le fait d'être agréés et contrôlés par cette administration, nous apparentent aux services publics.

Rencontrer ces garçons et ces filles en milieu ouvert nous amène tout naturellement à les situer et à les connaître dans leur contexte de vie.

Tous les parents, dans tous les milieux sociaux, ont à résoudre de graves difficultés éducatives; elles le sont d'autant plus dans les milieux défavorisés qu'elles vont rompre un équilibre de vie déjà précaire. Au désarroi matériel de ces familles s'ajoutera alors un profond sentiment d'échec et de culpabilité entretenu par les multiples interventions d'assistance des administrations, avec leur cohorte d'allocations, de secours, de prêts, de bons, d'aides sous toutes leurs formes... Les problèmes de cet enfant ou de cet adolescent sont étroitement liés à ses conditions de vie, aux relations qu'il entretient avec sa famille et son environnement. C'est pourquoi nous choisissons de le rencontrer à partir de chez lui, là où sont les difficultés et où vivent les protagonistes de son histoire. Sa famille, ses copains, les voisins, son quartier, ses conditions de vie sont liés à ses problèmes comme à son évolution et à son avenir. C'est là que nous ferons sa connaissance, pour progressivement tenter de sentir, de comprendre, de partager ce qu'il espère, ce qu'il attend de lui-même et des autres.

Cela suppose que nous arrivions sans solution préméditée, sans le désir de « l'administrer ».

Pourtant dès le départ nous sommes confrontés à des « demandes » urgentes, semblant réclamer des réponses concrètes et immédiates; la famille, l'entourage, les services sociaux, l'école, les services publics nous demandent de faire « quelque chose » et vite... Nous savons bien que dans leur esprit, comme dans celui de ceux qui nous mandatent et nous payent, nous sommes là pour « normaliser » des situations difficiles. Mais notre réponse ne sera pourtant pas celle que les gens imaginent, lorsqu'ils pensent que nous allons mettre ce garçon ou cette fille au travail, faire acte d'autorité dans cette famille, faire la classe à celui-ci ou y mener cet autre s'il la fuit, organiser des loisirs pour occuper ceux qui vadrouillent dans les rues sans savoir où aller... Notre démarche est autre. Elle ne procède exclusivement ni de l'autorité, ni de l'enseignement, ni de l'animation, ni de l'action sociale, ni du soin.

C'est ma démarche que j'évoquerai dans ce livre, à travers ma pratique professionnelle telle que je la vis tous les jours, tissée de ce que sont ces jeunes et leurs familles, de ce que je suis et de ce que nous vivons ensemble, faite de rencontres multiples, d'attentes, de hasards, d'incidents, d'inquiétudes, de joies et de déceptions.

Pour mener à bien cette tâche, je me suis efforcé de noter chaque jour l'essentiel de ces rencontres durant une période de trois mois choisie comme unité de temps. Je n'ai pas suivi avec la même intensité les vingt-huit jeunes répartis dans les quatorze familles dont j'ai la responsabilité. Je parlerai pourtant de tous, beaucoup des uns et peu des autres, selon les circonstances de cette période au cours de laquelle certains ont eu davantage besoin de ma présence. Ceux dont je parle, mes collègues les rencontrent sous d'autres visages et d'autres noms mais avec des problèmes similaires. Il ne s'agit donc pas de situations exceptionnelles choisies comme telles, mais bien de celles que nous vivons tous quotidiennement en milieu ouvert.

Pour une meilleure compréhension j'ai regroupé ces rencontres de manière à présenter chaque jeune [1], sa famille et son environnement, en permettant ainsi au lecteur de nous suivre quelques semaines sans trop de difficulté. Dans la réalité je vais de l'un à l'autre au gré des événements, des demandes, de leur disponibilité et de la mienne, des urgences... Nous agissons selon les nécessités, nos désirs réciproques, notre expérience et celle de l'équipe, nos limites et celles qu'on nous impose. Je connais la plupart de ces jeunes et leurs familles depuis longtemps. Je ne dis rien de nos débuts, sauf les éléments indispensables à la compréhension de notre relation. La suite, nous la vivrons dans les mois à venir... Ceci n'est donc pas un bilan ni la démonstration de quoi que ce soit, mais seulement le témoignage spontané de cette action éducative à laquelle je participe, sans autres commentaires que ceux du moment partagé, sans souci d'explications ou de justifications. Je voudrais laisser à chacun la liberté de s'y retrouver, comme j'essaye de laisser ou de rendre cette liberté à ceux que je rencontre.

1. Pour respecter l'anonymat de chacun, j'ai changé les noms et les prénoms, j'ai modifié aussi certains lieux et certaines caractéristiques trop précises.

Nathalie Salomé

J',nvite Nathalie à venir déjeuner avec moi. Ce sera la première fois que nous nous verrons de cette façon.

Quand j'ai connu Nathalie, elle était dans un tel état de désintégration qu'une démarche comme celle-ci, dans un lieu public, l'aurait mise très mal à l'aise.

A cette époque, l'an passé, Nathalie en était arrivée à ne plus manger qu'avec ses doigts, pour finir par ingurgiter presque exclusivement des bouillies qu'elle se préparait à sa façon, selon son goût.

Cette adolescente de quinze ans était plongée dans une rivalité « destructrice » avec sa mère envers laquelle elle était violemment agressive; mais elle pouvait lui réclamer tout aussi brusquement une affection de « tout-petit » et vouloir se faire « materner » comme tel.

Cette mère, Mme Salomé, réagissait aussi mal que sa fille. Elle restait traumatisée à la suite d'une pénible séparation d'avec son mari. Nathalie était devenue l'enjeu des conflits du couple qui réglait, à travers elle, son violent différend; chacun désirant la conquérir, chacun s'efforçant d'être choisi au détriment de l'autre. Nathalie les voulait tous les deux, n'arrivant pas à vivre exclusivement avec l'un ou l'autre et, peu à peu, utilisait ce conflit permanent.

Sa difficulté de vivre, elle la manifestait par tous les moyens, ne fréquentant plus l'école, et passant ses journées et ses nuits à s'étourdir avec des copains, qui seuls la comprenaient; elle les suivait là où les circonstances et le désir du moment les menaient. Puis il y eut des fugues..., et c'est à la demande du commissariat de police et de sa mère qui en avait la garde et commençait à s'inquiéter, que le juge des enfants intervint.

Mme Salomé, qui avait exprimé à la police le désir de placer sa fille, ne pouvant plus la supporter, s'y opposait maintenant en présence du juge des enfants. Nathalie, quant à elle, ne voulait pas en entendre parler. Cette éventualité était vécue par l'une et par l'autre comme un terrible rejet réciproque, inavouable.

C'est alors que le juge des enfants nous demanda d'intervenir, et prescrivit une mesure d'action éducative en milieu ouvert.

Au cours des mois qui suivirent, Nathalie passa par de dures périodes de dépression, consécutives à de multiples conflits et incidents, parfois dramatiques, dont une tentative de suicide. Il fallait que je sois très attentif pour l'aider à les surmonter. C'est dans de tels moments qu'elle put entrevoir l'éventualité d'un départ de chez elle comme moyen de s'en sortir. Elle finit par s'y décider.

Il avait fallu tout ce temps pour y arriver, mais la personnalité de Nathalie et celle de sa mère étaient telles qu'il n'aurait pas été bon d'imposer l'internat dès le départ (comme le préconisaient les autres travailleurs sociaux qui les connaissaient). Ç'aurait été aller contre la volonté des intéressées et risquer de les pousser à des réactions totalement négatives. Il était nécessaire qu'elles comprennent toutes les deux la nécessité de cette séparation et que je les aide à en prendre conscience sans culpabilité excessive. Cette séparation pourrait alors représenter un espoir d'évolution.

En internat, grâce à une éducatrice qui établit avec elle un lien personnel, et malgré des périodes douloureuses, Nathalie parvint à s'adapter tant bien que mal à une vie de groupe.

Je continuais à la voir; elle me confiait ses difficultés à vivre et à se faire aimer.

Puis il y eut un changement de groupe et d'éducatrice, comme le voulait le règlement de cet établissement en fonction d'une progression bien définie. Ce fut l'effondrement. Nathalie, complètement désemparée, fit une fugue : l'établissement n'avait pas compris l'importance de la relation de cette adolescente avec son éducatrice, relation qu'il aurait fallu maintenir à tout prix. Les structures avaient prévalu.

Nathalie alla chez sa mère qui essaya d'être ferme en lui demandant de retourner au centre. Elle se réfugia alors chez son père qui céda à son chantage au suicide et en prit la responsabilité.

Mis devant le fait accompli, le juge des enfants, après avis de notre équipe, et comptant sur l'influence que j'avais sur Nathalie, accepta cette situation comme une expérience de quelques mois.

Malgré le caractère difficile et parfois emporté de son père, les exigences imposées par celui-ci durant la période suivante permirent à Nathalie de se retrouver et de mieux vivre. Elle reprit sa scolarité dans un C.E.S. et suivit des stages pratiques de coiffure.

Mais l'alternative demeurait, et c'est à la suite d'un conflit en public avec son père qu'elle partit brutalement rejoindre sa mère qui la récupéra facilement.

C'est à ce moment-là que j'ai tenté de permettre aux intéressés de vivre ce changement d'une manière moins dramatique que les fois précédentes. Je sais que si Nathalie « passe aux actes » de cette façon et sur ce mode conflictuel en choisissant l'un ou l'autre de ses parents, c'est en regard de leur situation et sur le même mode. C'est pourquoi je les vois très souvent, surtout Mme Salomé; c'est dans la mesure où je les aide à mieux vivre leur séparation que les retombées sur Nathalie sont moins traumatisantes et que, cette fois-ci, le passage de l'un à l'autre s'est mieux vécu. Nathalie a pu leur expliquer ses choix, sans les catastrophes habituelles qui menaient à la rupture.

Pour ce couple séparé, ce n'est pas facile. Chacun vit sa rancœur et sa haine, autour desquelles ils se sont reconstruit une sorte d'équilibre qui semble constituer l'essentiel de leur raison de vivre jusqu'à ce que leur divorce soit prononcé.

Il y a maintenant plus de deux ans que chacun instruit sa

défense dans l'attente de ce moment... et il leur est bien difficile de comprendre les appels de leur fille. Pourtant à la suite de ce retour chez sa mère, mieux accepté par tous, Nathalie pourra à l'avenir, avec l'accord du juge des enfants et de ses parents, voir plus librement l'un et l'autre.

Aujourd'hui j'emmène donc Nathalie déjeuner dans une cafétéria près d'Avignon. C'est pour elle un endroit nouveau et un sujet d'étonnement.

Nous nous installons dans un coin tranquille et très vite Nathalie me confie la nouvelle, promise en cours de route et retenue jusque-là : son mariage pour la fin du mois prochain avec ce garçon que j'ai rencontré chez elle la dernière fois. Elle me l'avait présenté comme un ami.

Comme je m'étonne de la rapidité de sa décision, Nathalie m'explique qu'un jour où elle était seule chez son père avec Thierry, ils ont « fait une bêtise »... ils ont couché ensemble et elle se retrouve maintenant enceinte de six semaines environ.

Nathalie me présente cet événement comme une promotion : la voilà femme. Elle entrevoit dans le mariage la possibilité de se libérer de tous ses problèmes familiaux; mais elle me dit également combien elle se sent perdue et tiraillée entre des sentiments contradictoires. Elle n'est pas très sûre d'aimer Thierry et elle appréhende sa grossesse.

Nous parlons de ce bébé à venir et je m'assure qu'elle connaît bien ses choix, y compris celui de refuser cette naissance; c'est pourquoi je parle, entre autres, d'interruption de grossesse.

Nathalie ne sait pas très bien si elle veut garder cet enfant, mais elle rêve de pouponner et se réfugie derrière Thierry qui, lui, semble y tenir.

Nathalie avance dans la confidence et peut me parler alors de son aversion pour l'acte sexuel, qui est très douloureux pour elle. A chaque expérience, elle pleure sous le poids de son ami, qu'elle trouve brutal. Aussi, actuellement, elle se refuse à lui, allant même jusqu'à l'inciter à coucher avec d'autres filles... Sa mère, par contre, la pousse à vivre avec Thierry puisqu'elle a commencé. Ses relations sexuelles difficiles inquiètent Nathalie : « Quand je le regarde en pensant à cela, je le hais presque! » J'essaye de l'aider à comprendre ce qui lui arrive en dédramatisant cette première expérience. Le fait d'en parler clairement est essentiel. Je l'invite surtout à expliquer à Thierry ce qu'elle ressent, à le guider pour arriver, elle aussi, à y prendre du plaisir.

J'insiste pour qu'elle parle de tout cela avec lui, d'autant que je me trouve brutalement mêlé à une relation amoureuse qui devrait, au contraire, m'exclure au profit de son partenaire.

Je ne m'attendais pas à ces confidences, favorisées en partie par le climat de confiance qui règne entre nous. J'essaye surtout de permettre à Nathalie de bien exprimer ce qui est sa préoccupation, sans trop mettre les miennes en avant.

A travers les confidences de Nathalie, je comprends que c'est un soulagement important pour elle de me savoir informé. Elle n'est plus seule à réfléchir à cette expérience, et je sens son désir de mieux comprendre ce qui lui arrive. Elle vient de s'apercevoir, et admet brutalement, qu'elle ignore presque tout de sa sexualité. Ce n'est pas du tout ce que j'imaginais.

Je me souviens en effet qu'à deux ou trois occasions nous avions abordé ce sujet. Nathalie m'avait signifié qu'elle était bien informée et je n'avais pas insisté, d'autant que je la connaissais depuis peu : il faut beaucoup de temps et de désarroi à une adolescente pour se confier dans ce domaine.

Non seulement son ignorance est grande, mais les connaissances qu'elle a sont pour la plupart totalement erronées.

Je lui donne quelques points de repère à partir de ses questions. Nathalie pense, par exemple, que seul un rapport sexuel fécond procure du plaisir. Sa question est d'autant plus angoissante pour elle qu'elle se trouve enceinte à la suite de rapports sexuels douloureux.

Puis, au détour d'une phrase, je me trouve brusquement concerné par une question directe : « Est-ce que vous avez des enfants? »

Jusqu'à présent, sa mère et elle-même m'avaient interrogé une fois ou deux sur ma vie privée familiale. Cela arrive assez souvent et c'est une façon pour les gens de marquer l'intérêt qu'ils me portent. Mais je sais aussi qu'il est souvent préférable de ne pas répondre, pour ne pas détourner l'intérêt qu'ils doivent porter sur eux-mêmes et sur leurs difficultés. Je dois éviter de devenir un interlocuteur trop défini, à travers des renseignements familiaux par exemple, ou des opinions trop personnelles. Je pense qu'ainsi ma disponibilité est plus totale et que mes interlocuteurs peuvent m'imaginer à leur convenance.

A la question de Nathalie, j'ai pourtant répondu instinctivement par l'affirmative. Je ne pouvais pas me dégager à ce moment-là du climat de confidence qui s'était créé.

J'ai dû préciser alors combien j'avais d'enfants, leur âge et, puisque tous les deux n'ont que dix jours d'écart, expliquer que je les avais adoptés et pourquoi...

Notre repas terminé, nous revenons en ville et je m'efforce de rétablir une relation plus professionnelle en parlant à nouveau à Nathalie de ce qui la concerne. Je lui promets, entre autres, un livre sur l'éducation sexuelle que je lui porterai dès que possible. Puis je la quitte, avec l'impression de la laisser bien seule face à de difficiles problèmes et de graves décisions à prendre. En contrepartie, Nathalie va peut-être pouvoir vivre maintenant cette expérience de façon moins confuse. Elle me paraît plus rassérénée, avec une autre référence adulte que celle de sa mère, que je rencontrerai le lendemain et qui ramènera l'expérience de sa fille à la sienne, présentée comme tout aussi ratée...

Grâce à un collègue, j'ai pu me procurer rapidement ce livre d'éducation sexuelle promis, et je passe chez Nathalie un après-midi pour le lui remettre. Je pense la trouver chez elle, car elle doit se reposer à la suite d'un accident de voiture survenu peu de temps après son retour chez sa mère.

C'est bien elle qui me reçoit. Dans le salon, enfoncé dans un grand fauteuil, Thierry regarde la télévision. Il est sur la défensive. Manifestement ma présence le dérange. Je sens très vite que tout ne va pas pour le mieux entre eux. Je parle un moment avec Nathalie et je lui remets le livre sur lequel je lui donne quelques précisions. J'espère ainsi faire réagir Thierry. Nathalie commence à le feuilleter et bientôt Thierry y jette un œil qui se veut désabusé.

J'évoque notre dernière sortie. Il semble au courant de notre déjeuner de l'autre jour, mais je n'en dis pas plus, attendant que Nathalie prenne les devants et exprime elle-même ce qu'elle souhaite être dit.

Elle ne se décide pas. Pour le moment, le livre et la télévision semblent occuper toute leur attention, ce qui leur évite d'en venir à l'essentiel. Le silence s'installe, interrompu de temps à autre par Nathalie qui fait quelques commentaires sur son livre. Thierry se tient sur la réserve et son attitude n'autorise pas les confidences. J'échange quelques propos avec lui afin de ne pas laisser s'installer une atmosphère trop tendue jusqu'à ce que Nathalie se jette enfin à l'eau! Elle a parlé à Thierry de notre conversation de l'autre jour et en reprend l'essentiel. Il se fait attentif et participe.

Tous les deux veulent se marier à la fin du mois. Thierry souhaite préserver la grossesse de Nathalie et il ne comprend pas les difficultés sexuelles qu'elle met en avant. Pour lui tout semble sans problème; du moins, il va s'efforcer de le présenter ainsi... Pourtant, je lui suggère d'essayer de comprendre ce que veut lui dire Nathalie.

Très vite je les quitte pour les laisser s'expliquer, en insistant sur l'importance des décisions qu'il leur appartient de prendre.

J'ai voulu que cette visite soit courte. J'ai cherché avant tout à leur faire comprendre que c'est à eux de réfléchir à leur avenir et à leur amour, sans se cacher les difficultés qu'ils rencontrent actuellement.

Je tenais aussi à replacer la discussion de l'autre jour avec Nathalie là où elle doit être, entre les partenaires concernés.

Quelques jours passent, et un soir je trouve un message sur mon bureau qui m'informe de l'entrée de Nathalie à l'hôpital. Je n'ai aucune précision et n'ai plus le temps d'y aller.

Le lendemain matin, bien que ma démarche ait lieu en dehors des heures de visite officielles, on me laisse franchir les grilles de l'hôpital et je peux arriver jusqu'à la chambre de Nathalie. Il y a avec elle quatre jeunes femmes qui se préparent à déjeuner. Heureusement, le transistor de l'une d'entre elles distille les chansons du « hit parade » et malgré l'excitation manifeste de Nathalie, nous pouvons parler discrètement, sans avoir à partager nos confidences avec les autres.

Nathalie, effondrée, m'annonce que « tout est fini »... et me raconte les événements de la veille.

C'est à la suite d'un violent conflit avec Thierry auquel elle se refusait, qu'elle a reçu des coups au ventre. Elle a perdu quelques caillots de sang et sa mère l'a fait entrer à l'hôpital sur l'avis de son médecin généraliste. D'après un premier examen, la grossesse serait préservée.

Tout est fini avec Thierry.

Comment va-t-elle s'en sortir maintenant ?

Sa mère ne veut pas entendre parler d'un bébé chez elle. Elle devra donc se débrouiller seule si elle persiste à vouloir le garder.

Nathalie évoque la solution d'une maison maternelle, mais après...

L'échec est rude, elle se sent déprimée et abandonnée, marquée par ces derniers événements qui l'ont éclairée sur l'attitude de Thierry. A cet égard, elle semble soulagée.

Elle en arrive à se demander s'il ne vaudrait pas mieux interrompre cette grossesse ; elle n'ose l'affirmer, a peur de souffrir et ne le veut pas. Je peux la rassurer et lui expliquer comment se pratique cette intervention ; mais le temps presse maintenant et il est peu probable que cela se fasse dans cet hôpital, malgré la nouvelle loi sur l'interruption de grossesse.

Nathalie me dit à nouveau combien l'acte sexuel la dégoûte. Je comprends qu'elle appréhende également toute intervention gynécologique.

De tout cela nous parlons longuement et calmement avant que Nathalie prenne la décision d'interrompre sa grossesse. Elle me demande d'en parler à sa mère et elle est d'accord pour que je voie tout cela avec le médecin psychiatre de notre service, qui pourra plus facilement se mettre en rapport avec les médecins de l'hôpital.

Je sais par expérience que ce n'est pas ma fonction d'éducateur spécialisé qui, dans un cas comme celui-là, m'autorisera à recevoir la totalité de l'information médicale, pas plus qu'à faire valoir mon point de vue, si nécessaire. Il me semble plus sûr que s'établissent dans ce cas des rapports de médecin à médecin, afin d'être fixé le plus précisément possible sur la grossesse de Nathalie et les suites à envisager.

En outre il me paraît souhaitable que Nathalie puisse à cette occasion établir avec un médecin une relation suffisamment confiante pour arriver par la suite à parler avec lui de ses difficultés sexuelles et les dépasser.

Ma première démarche, après cette visite, est pour la mère de Nathalie qui me raconte à son tour les événements et qui se lamente : « C'est moi qui aurais besoin d'un éducateur »...

Depuis qu'elle sait Nathalie enceinte, Mme Salomé souhaite que sa fille se fasse avorter.

Je sais que cette position n'a fait que heurter Nathalie et renforcer son désir de préserver sa grossesse. A travers ce bébé à venir, c'est à nouveau Nathalie qui se sent rejetée par sa mère. J'ai tout fait pour lui éviter de se fixer trop sur ce sentiment qui risquait de lui masquer un avenir dont elle sera seule responsable.

Mme Salomé m'explique que sa fille est incapable de prendre seule cette décision et que, de toute façon, il n'est pas question qu'elle garde Nathalie et son enfant avec elle.

Elle voudrait prendre contact avec des médecins qui accepteraient de pratiquer cette interruption de grossesse. Elle est actuellement sur la piste du MLAC.

Je lui transmets la décision de Nathalie et l'avertis de notre rencontre avec les médecins qui s'en occupent, en l'invitant à se joindre à nous pour cette démarche. Il ne lui est pas possible de s'absenter de son travail. Nous irons donc seuls et la tiendrons au courant.

A mon départ, Mme Salomé est moins inquiète et dramatise moins ce qui arrive à sa fille. Elle se sentait en effet dépassée par cette situation : le départ de Nathalie pour l'hôpital s'est fait dans une ambiance très conflictuelle alors que Mme Salomé est déjà très préoccupée par une situation professionnelle difficile.

Dès que je suis à mon bureau, je tente de joindre par téléphone Mme R., le médecin psychiatre de notre équipe. J'ai la chance d'y parvenir rapidement. Elle est vite au fait de la situation car je lui avais parlé longuement de Nathalie à l'occasion d'une démarche commune que nous avions faite la veille auprès du juge des enfants.

Mme R. est d'accord pour rencontrer les médecins de l'hôpital. Elle prendra rendez-vous et nous irons ensemble.

Le lendemain, c'est dans l'un des couloirs de l'hôpital que le médecin nous apprend la fausse couche de Nathalie. Il fera un curetage et elle sortira très vite. Il réalise bien qu'elle a des problèmes... mais il est pressé et s'en retourne à ses occupations.

Nous allons trouver Nathalie, et c'est à nouveau dans un couloir, seul endroit où nous trouvons à nous isoler, que je lui présente notre médecin.

Nous nous assurons que Nathalie a bien compris ce qui lui a été dit le matin même lors de la visite. Comme ce n'est pas encore très clair, Mme R. lui explique en détail ce qui va se passer.

C'est un fait courant dans les hôpitaux : les médecins n'expliquent pas. Savoir, pour le patient et son entourage, est presque toujours le résultat d'une longue lutte pour l'information. Nathalie, dans ces circonstances, a tout du bouchon ballotté en plein océan. Elle s'inquiète, notamment, de savoir si elle pourra avoir un autre enfant plus tard... Nous la rassurons.

Puis elle nous raconte comment elle a posé aux infirmières le problème de l'avortement et demandé si on le pratiquait dans cet hôpital. N'obtenant que des réponses malveillantes, je leur ai demandé, nous dit-elle, d'imaginer « une jeune fille de seize ans, enceinte, lâchée par son ami, seule, sans ses parents, sans argent et sans travail. Que feraient-elles à la place de cette jeune fille ? » Elles ont haussé les épaules et n'ont pas su que répondre...

Nathalie, semble-t-il, a tout de même eu une réponse : l'incertitude des infirmières l'a rassurée sur ses propres incertitudes et son projet d'interruption de grossesse qu'elle avait décidé, non sans culpabilité.

Elle semble maintenant un peu surexcitée, mais comme libérée ; elle a envie d'oublier tout cela, d'effacer les mauvais moments passés. Elle le fait avec une formule abrupte qui veut faire taire son angoisse : « Toutes les choses de l'amour sont dégoûtantes... » Puis elle parle d'autre chose.

Avec Mme R. nous échangeons nos impressions en quittant l'hôpital. Elle connaît maintenant Nathalie et a pu l'entendre dire rapidement son malaise.

Je suis d'accord pour qu'elle la rencontre, comme médecin, dans la mesure où elle aménage elle-même ses rencontres. Il me semble que c'est en disant à Nathalie qu'elle est disponible et intéressée qu'elle pourra intervenir. En effet, je ne crois pas, maintenant que Nathalie la connaît, qu'il m'appartienne d'organiser ces rencontres et d'en être responsable. Par contre, j'aiderai Nathalie à exploiter cette possibilité de relation nouvelle.

L'intervention des spécialistes et particulièrement des thérapeutes auprès des jeunes que nous suivons est un problème délicat. Même quand cela serait souhaitable, c'est difficilement réalisable et rarement concluant.

Nous évoquons parfois, en équipe, la nécessité d'une psychothérapie pour tel ou tel de nos jeunes, mais les conditions ne le permettent qu'exceptionnellement. Cela tient surtout à l'impossibilité, pour ceux que nous suivons, de comprendre ce type de démarche soignante et de s'engager dans un contrat de thérapie en parvenant à le respecter. Pour la grande majorité d'entre eux, tout comme pour leurs parents, les problèmes et les charges affectives sont trop envahissants pour leur permettre une réflexion avec suffisamment de recul par rapport à ce qu'ils vivent si douloureusement. Cela tient à leur éducation, à leur mode de vie, à leurs habitudes de pensée qui ne permettent pas ce type d'échange trop élaboré.

Cela ne remet pas en cause la compétence des spécialistes, mais il faut convenir que l'intervention de l'éducateur, de par sa disponibilité et sa faculté d'aller vivre certaines réalités du jeune là où il se trouve, lui permet mieux de communiquer avec celui-ci et sa famille.

C'est pourquoi les spécialistes, psychiatres et psychothérapeutes, qui ont accepté de travailler avec nous, interviennent peu auprès des jeunes et des familles suivis en AEMO. Nous faisons appel à leur compétence essentiellement pour nous-mêmes, dans une réflexion en commun, notamment au cours de nos réunions d'évaluation où nous avons à approfondir le sens de notre démarche éducative.

Après plusieurs rendez-vous manqués par la faute de Nathalie, nous finissons tout de même par nous rencontrer, une dizaine de jours après sa sortie d'hôpital.

Manifestement, Nathalie ne tenait pas trop à me voir ces derniers temps. Je comprends son désir de souffler et ma présence est un rappel très direct des événements douloureux qu'elle vient de vivre.

A la suite de ma discussion avec notre psychiatre, je désirais ne pas provoquer de nouvelles confidences, afin de respecter le désir éventuel de Nathalie de ne pas reparler des événements passés, du moins dans l'immédiat.

Nous prenons ma voiture pour aller nous promener, et, de fait, Nathalie ne me parle que de « l'après »... et me raconte un tas de choses plus ou moins cohérentes. Il me semble qu'elle vit cette période de façon très irréelle, un peu comme cette femme qu'elle va souvent voir et qui lui parle de la vie et de son avenir à travers le langage des cartes et de la « boule de cristal ».

Cette femme, qu'elle a connue à l'hôpital et dont elle apprécie la compagnie, posséderait une sorte de sixième sens qui lui a permis de prédire à Nathalie qu'elle allait rencontrer bientôt un beau garçon, grand, brun, aux yeux bleus, qui est tout à fait celui avec lequel elle a dansé, l'autre soir, au bal... C'est le rêve qui permet à Nathalie d'échapper à la dure réalité, et son récit m'aide à comprendre et à respecter ce déphasage.

Je l'écoute sans l'interrompre jusqu'à ce que, bientôt, les derniers événements émergent un moment dans la discussion. Nathalie n'est pas totalement dupe d'elle-même et accepte de me rejoindre...

Cette scène me rappelle celle que nous avons vécue plusieurs mois auparavant, quand Nathalie était en internat à Marseille. J'étais allé la voir; c'était un jour où elle touchait le fond du désespoir.

Nous étions sortis de l'établissement. Je l'avais emmenée dans un coin tranquille au bord de la mer, et c'est dans un petit café désert, devant une énorme glace vanille-chocolat que, secouée de sanglots, Nathalie m'avait raconté sa vie malheureuse en internat, peuplant son récit d'événements les plus invraisemblables.

Je l'avais écoutée longuement et avec suffisamment de compréhension pour qu'elle m'assimile à son chien : « le seul qui la comprenne ». Je n'avais fait aucun commentaire, respectant même ses silences, et, d'elle-même, comme cette fois-ci, tout doucement, elle en était arrivée à rechercher dans ma présence comme un point de repère qui lui permette de se raccrocher à la réalité :

« Vous m'écoutez, mais vous devez penser que tout cela n'est pas vrai... »

Nathalie était en train d'émerger de sa détresse pour s'apercevoir de ma présence, seule réalité supportable et acceptable à ce moment-là; du moins, suffisamment pour pouvoir commencer à m'interroger sur elle-même.

J'avais pu lui dire que je comprenais que c'était sa façon à elle de me dire comme elle souffrait dans cette situation très difficile. C'était cela sa vérité. C'était bien cela que j'avais compris.

Nathalie était rentrée en internat ce jour-là, décidée à réussir. Mais pour combien de temps?

Cette fois-ci encore, après toutes « ces histoires qu'elle voudrait merveilleuses », Nathalie reprend pied dans la réalité pour me dire qu'elle souhaite oublier Thierry, sa fausse couche et le curetage qui a suivi, à la suite duquel elle a beaucoup pleuré.

Elle ne veut plus parler de tout cela; la seule idée de l'acte sexuel lui donne des frissons et la dégoûte. Elle ne terminera pas le livre d'éducation sexuelle que je lui ai prêté.

Elle a envie de s'étourdir, de sortir, de s'amuser mais reconnaît qu'elle ne parvient pas pour autant à oublier...

Je peux lui dire alors que je comprends son désir, mais que je sais aussi que ces événements, malgré ses efforts pour les effacer, continuent à la préoccuper. Elle risque de ne pas pouvoir s'en débarrasser tout simplement, d'une façon magique, par son seul désir d'oublier.

Je lui parle de l'intérêt de notre médecin pour elle. Il souhaite la connaître davantage et lui fera sans doute signe un jour prochain. Si ces problèmes la préoccupent toujours, c'est bien la personne qui peut l'aider.

Ensuite, nous parlons de tout autre chose jusqu'au retour chez elle.

Je laisse Nathalie devant sa porte. Avant de nous quitter, nous envisageons de déjeuner ensemble d'ici une dizaine de jours. Je n'ai pas mon agenda sur moi, je lui écrirai donc un petit mot pour lui faire savoir une date possible. Nous nous embrassons et Nathalie disparaît dans la cage d'escaliers de son HLM rejoindre son cinquième étage et sa dure réalité.

A la date prévue, Nathalie arrive en retard, tout essoufflée, alors que je m'apprêtais à partir, pensant qu'elle ne viendrait plus.

Je lui propose d'aller déjeuner dans un restaurant à la campagne. Nous pourrons peut-être nous installer dehors. Il fait très beau, et cette perspective semble lui plaire.

Pendant le trajet, Nathalie me parle d'un accident terrible survenu ce dernier week-end : trois adolescents ont été tués par une voiture conduite par deux Arabes. Elle connaissait bien ces garçons. Je les connaissais aussi, tout particulièrement l'un d'entre eux que j'avais suivi en AEMO jusqu'à l'année dernière.

C'est une catastrophe qui nous touche tous les deux. Nous pouvons échanger nos sentiments qui sont empreints chez Nathalie d'un violent ressentiment à l'égard des « Arabes ». Elle partage ainsi les réactions émotionnelles de la ville.

Je me demande comment Nathalie va se dégager de cet événement qui semble l'ébranler.

En fait, elle réagit très bien et ce repas va devenir un moment de détente pour tous les deux : quel contraste avec notre précédent repas où je l'avais trouvée empêtrée dans de multiples difficultés !

Aujourd'hui, Nathalie est gaie et me confie sa joie de vivre tandis que l'aubergiste nous installe dehors, au soleil, comme nous le souhaitions. Nous serons seuls à en profiter, les autres clients sont à l'intérieur.

Je vais tout faire pour que ce repas lui soit agréable et confirme son sentiment de bien-être. Je crois que c'est ce dont elle a le plus envie et ce qu'elle attend de moi cette fois-ci.

Détendue, Nathalie me raconte alors sa vie actuelle et ses copains... « L'Indien » qui conduit sa voiture comme un Apache son pur-sang et s'amuse à l'effrayer en virant sur « deux roues »... « Manouche », bon vivant qui possède sa bouteille de whisky personnelle dans toutes les boîtes de la région sous le numéro 112. Il y a aussi celui qu'apprécie particulièrement Nathalie et dont je ne me rappelle plus le sobriquet : il bégaie à la faire pleurer de rire, il est très amoureux d'elle. Et puis les autres...

Nous parlons de sa santé et des séances de rééducation qu'elle doit suivre chez un kinésithérapeute. Elle s'arrange pour faire le moins d'exercices physiques possible mais profite au maximum des massages qu'elle trouve très agréables et très reposants.

Il est question de la mode et d'autres copains qui ont constitué un orchestre et avec qui elle chante à leur demande et pour son plaisir. Elle m'apportera une bande magnétique s'ils s'amusent à en faire un enregistrement.

Ce sera bientôt l'été. Nous parlons de soleil, de plages et de bains.

Puis Nathalie me donne des nouvelles de son père chez qui elle vient de passer une semaine. Cela s'est fait sans problème, à sa demande et à celle de son père. Il semble, à travers ce qu'elle m'en rapporte, que ses relations avec lui, comme avec sa mère, commencent à se normaliser. Sa mère, l'autre jour, m'a d'ailleurs expliqué comment elle avait autorité maintenant sur sa fille. C'était impensable il y a quelques mois et Nathalie reconnaît effectivement ce pouvoir à sa mère.

Nathalie se trouve changée, plus à l'aise, plus heureuse, malgré sa mésaventure passée qui semble l'avoir mûrie. C'est comme cela qu'elle me le dit, en s'amusant de sa façon de manger qui ne rappelle en rien sa façon de faire de l'an passé. Nous pouvons en rire tous les deux... En somme, comme elle est toujours en congé maladie et ne peut envisager de travailler, elle ne songe qu'à vivre le mieux possible mais en équilibre et en tenant compte, en grande partie, des exigences de sa mère.

Cela me semble une étape bénéfique pour cette adolescente qui vient d'avoir seize ans. Elle commence tout juste à pouvoir vivre à peu près en paix et en sécurité entre ses parents, maintenant officiellement divorcés, qui ne peuvent plus espérer grand-chose l'un de l'autre et s'entredéchirent donc moins.

C'est sur une note optimiste que nous nous quittons ce jour-là. Nathalie me fera signe un jour prochain, à sa convenance.

Une quinzaine de jours se passent sans nouvelles de Nathalie.

Un soir, en passant à mon bureau, j'y trouve un message déposé par notre secrétaire. Mme Salomé souhaite me voir personnellement, le plus vite possible. Comme il m'est impossible de me rendre chez elle le soir même, je dépose, en repartant chez moi un peu plus tard, un mot dans sa boîte aux lettres afin de la prévenir de mon passage le lendemain à l'heure du déjeuner.

C'est Mme Salomé qui m'ouvre. Elle m'attendait mais aurait préféré me voir sans Nathalie.

Je sais que les conflits entre la mère et la fille sont souvent violents, mais je n'y ai jamais assisté. Cette fois-ci, il me semble que les choses vont se régler devant moi : il y a suffisamment de temps que nous nous connaissons pour qu'elles l'acceptent. Aussi, je ne remets pas ma visite et je reste, faisant remarquer que Nathalie peut nous entendre et donner aussi son avis puisqu'il s'agit d'elle.

L'air buté de Nathalie me confirme dans mes premières impressions. L'orage éclate. Mme Salomé fait un violent réquisitoire dans lequel sont étroitement imbriqués ses difficultés personnelles, et plus particulièrement financières, et le comportement

« insupportable » de Nathalie. Son discours est agressif, outrancier, parfois même grossier :

« Nathalie se fout de moi et de tout, elle n'est bonne à rien et ne fait d'ailleurs rien à la maison, sort n'importe quand et rentre à n'importe quelle heure alors que je me fais un sang d'encre. »

Mme Salomé affirme que maintenant tout cela lui est égal : que Nathalie parte vivre seule et se débrouille, elle verra ce qu'est la vie... Elle n'obtient pas d'aide de sa fille qui se joue de son affection et veut garder son salaire pour s'acheter des bêtises. Elle souffre trop, mais ne se laissera pas faire, Nathalie peut partir et « crever », elle ne lèvera pas le petit doigt pour la soigner.

Mme Salomé est dans tous ses états; elle a beaucoup de mal à garder le contrôle d'elle-même.

Nathalie, rouge d'indignation, semble pourtant davantage maîtresse de la situation, bien qu'elle se défende de façon très agressive également :

« Ma mère ne dit pas la vérité : je travaille depuis peu à l'expédition, et seulement quelques heures par jour, alors que je suis en arrêt maladie et pourrais rester à ne rien faire. J'accepte de donner la moitié de mon salaire à ma mère, quand je gagnerai suffisamment, mais pas tout. »

Nathalie reproche à sa mère de manifester son affection en fonction de ce que cela peut lui rapporter et de faire du chantage en la menaçant de la mettre dehors.

« D'ailleurs, tu mens, dit-elle. Répète à monsieur l'éducateur ce qu'il aurait dit à mon sujet. »

Je suis surpris par ce « monsieur l'éducateur » que j'entends pour la première fois. Cette prise de distance subite semble vouloir me neutraliser sur le plan des sentiments comme pour me demander d'être un arbitre très professionnel.

J'aurais dit à sa mère que « Nathalie n'est qu'une fille perdue, une bonne à rien »!

Mme Salomé ne peut bien sûr répéter cela en ma présence et il lui est difficile de se sortir de cette situation; elle doit invoquer une mémoire défaillante...

Cette sortie victorieuse de Nathalie n'arrange rien, et l'espace d'un instant, j'ai bien peur qu'elles n'en viennent aux mains. Mme Salomé arrive tout de même à se contrôler.

J'ai réussi de mon côté à supporter ce moment difficile sans trop d'angoisse, tout en restant très attentif à mes deux interlocutrices. Mon calme aidant, l'atmosphère se détend et je peux leur expliquer que, malgré les difficultés actuelles et la tension qui en a résulté, elles sont parvenues à extérioriser leur mésentente. Bien sûr, cet échange a été violent, à la mesure de leur ressentiment, mais elles savent maintenant ce qui les oppose; c'est important pour qu'elles parviennent à se comprendre et à dépasser cette situation.

Nathalie s'éclipse très vite dans sa chambre où nous pouvons l'entendre remuer.

Maintenant que l'orage est passé, je peux faire remarquer à Mme Salomé la place importante que tenaient dans tout son discours ses ennuis financiers. Cela explique qu'elle se sente à bout, sans savoir comment s'en sortir, et que le comportement de Nathalie vienne exacerber ce sentiment. Mais comment peut-elle rendre sa fille responsable de tout cela?

Il est difficile à Mme Salomé de faire la part des choses à l'instant même. Par contre, elle réclame mon aide et souhaite me voir très vite pour reparler de tout cela. Elle viendra le soir, après son travail. C'est une démarche qui lui coûte, mais son désir de trouver un soutien dans la situation actuelle est à ce prix. Elle en décide.

Deux jours plus tard, je reprends donc cette conversation avec Mme Salomé.

Je comprends mieux l'évolution de Nathalie mais aussi les risques d'effondrement de sa mère. Mme Salomé m'a, en effet, essentiellement parlé de sa solitude et de son angoisse devant l'avenir, angoisse qu'elle liait exclusivement, jusqu'à présent, au comportement de Nathalie. Il semble qu'elle se sente désormais plus directement concernée et donc plus menacée. C'est la raison de cette violente provocation à l'encontre de Nathalie à laquelle j'ai assisté l'autre jour. Mme Salomé en arrive à revendiquer le soutien et l'aide de sa fille, ce qui revient à lui demander l'impossible quand on sait les difficultés de cette adolescente.

Bien qu'elle reconnaisse une évolution importante dans le comportement de Nathalie qui parvient maintenant à vivre en famille de façon beaucoup plus équilibrée, il ne semble pas qu'elle parvienne à considérer cette évolution comme un soulagement et un mieux-être pour elle, mais plutôt comme un abandon qu'elle impute à sa fille et qui la pousse à nier ses sentiments pour Nathalie et à se dire insensible : « Elle peut bien faire ce qu'elle veut »...

En retour, cette attitude est durement ressentie par Nathalie qui évoque l'attitude de sa mère en termes de chantage affectif et qui tente de la compenser en dehors de sa famille.

Tout au long de cet entretien, je prends conscience que c'est par Mme Salomé que l'équilibre de vie avec Nathalie est rompu et que c'est par elle qu'il pourra être rétabli. C'est un soutien personnel qu'elle est venue chercher et c'est en y répondant dans la mesure du possible, que le conflit avec Nathalie s'atténuera.

J'ai besoin maintenant de faire le point en équipe pour mieux comprendre ce qui se passe dans ma relation à Nathalie et à sa mère et pouvoir par la suite conduire mon intervention dans le sens d'un soutien plus important à cette dernière, en tenant compte des réactions de sa fille.

C'est une action de longue haleine et je suivrai probablement Nathalie jusqu'à sa majorité.

Famille Alexandre
Geneviève, Charlie, Monique, Hervé
Christian, Pierre, Jacqueline

Charlie a téléphoné au service en mon absence et laisse un message assez confus à notre secrétaire; il est vaguement question d'un convoi... Charlie n'en dit pas plus car il est pressé et entend mal à cause des copains qui l'entourent et font du bruit. Il me rappellera dès que possible.

Charlie, depuis l'automne, vit chez l'un de ses copains, dans un petit village près de Toulon. Il y est arrivé, un beau jour, avec une caravane de fête foraine dans laquelle il avait sa part de travail. Quand elle s'en est allée, quelques jours après, Charlie ne l'a pas suivie; il est resté là pour une fille qu'il a rencontrée et a travaillé comme manœuvre maçon pour gagner sa vie.

C'est un adolescent robuste qui vient d'avoir seize ans; cadet d'une famille de sept enfants que je suis tous en AEMO depuis quatre ans. Cela fait maintenant une année que Charlie est parti de chez lui, en fugue permanente, sauf quelques rares apparitions à la maison. Cette situation est acceptée par le juge des enfants, qui avait tenté auparavant une dernière expérience d'internat; Charlie n'y avait passé que quelques heures avant une fugue définitive.

Cette communication téléphonique manquée me rappelle la précédente, il y a de cela presque deux mois. C'était pour m'annoncer qu'il voulait se marier : cette fille pour laquelle il était resté, était enceinte. Il allait l'épouser... La nouvelle me prenait un peu au dépourvu et j'avais exprimé à Charlie le désir d'en parler avec lui lorsqu'il remonterait à la maison. J'en avais profité pour lui rappeler qu'il devait se présenter au Palais de Justice la semaine suivante, pour y être jugé par le Tribunal des enfants sur une histoire le concernant. J'avais insisté, car le jugement avait déjà été remis une première fois faute d'avoir su où le trouver pour le convoquer; son absence risquait d'aggraver sa situation. Charlie m'avait assuré qu'il répondrait à cette convocation et passerait me voir après.

De fait, il m'attendait avec sa mère quelques jours plus tard, un baluchon sur l'épaule, prêt à reprendre la route. Mme Alexandre était inquiète des désirs de son fils. Elle se voyait déjà avec cette fille et ce bébé sur les bras... Aussi, s'il souhaitait se marier, voulait-elle qu'il en assume les responsabilités en cherchant du travail et un logement sans compter sur elle qui avait actuellement bien assez de soucis. Mme Alexandre venait en effet de trouver une villa à louer et allait quitter son baraquement pour vivre enfin dans un « vrai » logement. Ce rêve, qu'elle caressait depuis si longtemps, allait enfin devenir réalité! Les problèmes de Charlie arrivaient à un mauvais moment... Quant au garçon, le fait de n'avoir ni argent, ni travail, ni logement, ne l'inquiétait pas. Il voyait tout cela de façon très simpliste : s'il avait une femme et un gosse, il s'en occuperait. Pourtant, je parvenais tout de même à déceler, sous son apparente insouciance, l'amorce de quelques préoccupations dont il avait bien voulu commencer à parler. Il acceptait quelques-unes des exigences de sa mère pour préparer progressivement son retour auprès des siens. Mme Alexandre restait effrayée à cette perspective. Il y avait de quoi...

Par ailleurs, évoquant son jugement, Charlie m'avait dit qu'il venait d'être condamné à un an de prison avec sursis ! J'étais étonné qu'une si lourde peine lui soit infligée; il s'agissait, somme toute, d'un délit mineur qui remontait à plusieurs mois. Je me renseignai par la suite. Charlie avait mal entendu l'énoncé de sa peine à l'audience. En réalité, il était condamné à un mois de prison avec sursis... Son indifférence et son manque de réaction à l'annonce d'une telle décision étaient surprenants.

J'aurais aimé poursuivre avec lui seul cette discussion, mais, très vite, l'appel de l'aventure et de la liberté devint irrésistible. Écartant ma proposition de l'accompagner pour faire un bout de chemin en voiture, Charlie avait choisi d'aller seul et de se débrouiller en stop.

J'évoque tout cela à l'annonce de cette communication manquée. Charlie reprend ainsi une place privilégiée dans mes préoccupations immédiates. J'évalue ses réactions et mon intervention. C'est bien comme s'est déroulée notre dernière rencontre que Charlie me supporte : dans la mesure où il se sent libre de toute contrainte vis-à-vis de moi et à condition que j'accepte « sa manière ». Actuellement, il préfère sans doute que j'ignore où il vit et comment. C'est parce que je respecte cette règle qu'il fait appel à moi de temps en temps; non pas tant d'ailleurs dans les moments difficiles, mais plutôt lorsqu'il vit des situations valorisantes. Je sais que je suis important à ses yeux et qu'il compte sur moi, mais à sa façon qui n'est pas toujours évidente, bien au contraire... avec le temps et beaucoup de patience, cela se vérifie. J'en ai tout de même longtemps douté, car je le vois rarement, il est peu bavard et se bloque à la moindre contrariété.

C'est un garçon difficile qui se repère mal dans la vie et cherche désespérément, avec une rare instabilité, la « position » qui lui permettra de se sentir à l'aise. Toute contrainte trop marquée fait monter en lui de fortes tensions qui l'angoissent et menacent son équilibre; il redoute alors ses réactions qui peuvent être violentes, et fuit n'importe où. C'est lui-même qu'il fuit plus que toute autre contrainte, à la recherche d'un personnage qui lui colle bien à la peau et d'une identité qui soit enfin la sienne. Et comment pourrait-il en être autrement alors qu'il ne peut toujours pas porter le nom de son père, à la suite d'une erreur de déclaration à la mairie — sa mère, à sa naissance, était en instance de divorce et vivait en concubinage. Ce père, dont il est le fils sans en avoir le nom, qui n'en est pas responsable quand ça va mal, qui le choisit et le rejette tour à tour, Charlie ne le reconnaît pas non plus : c'est sa façon à lui de proclamer sa filiation. C'est bien sûr incompréhensible pour un père...

A l'image des atermoiements de M. Alexandre depuis de longues années et malgré l'aide de l'assistante sociale, nous ne sommes pas encore parvenus à donner son vrai nom à Charlie. Il y a toujours des pièces qui manquent à un dossier qui s'égare souvent, des avocats trop chers, des démarches trop longues pour obtenir une « assistance judiciaire » vite remise en question par un avocat « commis d'office » qui exerce à l'autre bout du département et que cela n'intéresse pas... Pendant ce temps, Charlie reste le fils de personne.

Il fut un temps où je ne savais plus que faire, ou ne pas faire, devant certaines de ses réactions. Celles-ci semblaient même vouloir me convaincre de le laisser, sans plus m'occuper de lui. C'est par un artisan chez qui Charlie a travaillé quelque temps que j'ai eu l'occasion de mieux comprendre mon importance aux yeux du garçon. Il m'a raconté comment Charlie lui parlait souvent de moi en termes favorables dans les discussions d'atelier qu'encourage l'ambiance du travail. C'était pourtant à une période où les contacts que j'avais avec lui étaient difficiles. Le doute s'installait en moi. Je me demandais si ma présence était bien utile.

A cette même époque, Charlie était en train de briser toute relation avec ses parents et tout particulièrement avec son père qui démissionnait une nouvelle fois. Il tentait l'équivalent avec moi. Pour y parvenir, il s'était mis à me considérer comme un « flic ». Il jouait d'une corde sensible... et j'ai bien failli m'y laisser prendre; peut-être, s'il n'y avait pas eu ma rencontre avec cet artisan... Toujours est-il que j'ai tenu bon, lui affirmant que je continuerais à m'occuper de lui parce que je tenais à lui avec la certitude de pouvoir l'aider. C'est aussi grâce à l'équipe que j'ai pu analyser au cours de cette période combien une bonne relation pouvait être vécue comme menaçante par un garçon comme Charlie; car elle signifie tout à la fois rejet, rupture et douleur.

En fait, je pense représenter pour lui une sorte de point de repère affectif stable, une référence de cohérence et de permanence dans un univers qu'il vit comme hostile, où tout est confusion, contradiction et contrariété.

Le lendemain de ce coup de téléphone si bref, j'ai la visite de Mme Alexandre et de sa fille cadette Monique. Elles viennent de recevoir une carte postale de Charlie qui donne quelques nouvelles.

Tel un oiseau migrateur, il a repris la route avec une fête foraine pour une ville de la Côte d'Azur. Il s'occupe des autos-scooters. C'est le genre de travail que Charlie affectionne par-dessus tout. Je l'ai vu « vadrouiller » des semaines entières, l'été dernier, dans le sillage de ces caravanes, à la recherche d'une place où travailler. Il y trouve sa liberté, vit la nuit, et satisfait son instabilité au rythme des télescopages et des flonflons de la fête. Il ne parle plus de cette fille qu'il voulait épouser. Il l'a trouvée, paraît-il, dans les bras d'un copain à son retour, la dernière fois; à son avis, elle y était déjà avant son arrivée. Il n'est donc plus question d'elle...

Dans sa carte, il parle surtout d'une « bêtise qu'il aurait réparée ». Mme Alexandre s'inquiète mais il n'y a pas plus de détails et je ne peux lui en donner davantage, n'ayant pas eu Charlie au téléphone. Il faut attendre.

Et puis, il y a Pierre qui la préoccupe. C'est l'avant-dernier de ses enfants. Il n'arrive pas à suivre à l'école. Nous en avions déjà parlé plusieurs fois; à la suite de quoi Mme Alexandre avait décidé d'aller trouver la maîtresse. Elle la voit maintenant de temps en temps, au profit de son garçon, car, depuis, l'institutrice s'en occupe davantage. Malgré tout, il ne parvient pas à rattraper le retard accumulé l'année précédente et ses difficultés deviennent importantes. L'institutrice voudrait faire le point avec la psychologue scolaire qui connaît déjà bien la famille et tout particulièrement son frère Christian. Elle voudrait que je facilite cette rencontre.

Je promets de faire le nécessaire et nous nous quittons, après quelques mots échangés avec Monique qui se bat à l'école pour imposer sa féminité. Elle doit camoufler une brûlure au visage et se maquille; ce qui n'est ni compris ni autorisé.

Dans le courant de l'après-midi, en repassant au service, je trouve à nouveau Mme Alexandre qui, effondrée, m'attend depuis près de deux heures. Une éducatrice qui suit avec moi l'un de ses autres enfants, Christian, l'a déjà longuement entendue, aussi peut-elle me raconter plus calmement ce qui lui arrive. J'apprends que Charlie fait à nouveau l'objet d'une plainte. C'était donc cela la bêtise annoncée!

Une 4 L de la gendarmerie est venue chercher Mme Alexandre chez elle pour l'emmener immédiatement au commissariat, sans autre forme de procès, pour enregistrer sa déposition... Elle est furieuse contre les gendarmes et leur façon d'agir : quel effet déplorable dans son nouveau quartier et sur ses enfants! Cela contribue à alimenter sa colère contre Charlie. Elle a demandé qu'il soit enfermé jusqu'à sa majorité et ne veut plus en entendre parler.

Charlie serait entré par effraction dans une maison où il aurait bu une bouteille d'apéritif et passé la nuit. Mme Alexandre ne peut pas me donner d'autres précisions, n'ayant pu tout lire du long procès-verbal. Elle se rend compte, en retrouvant son calme, que ce n'est pas trop grave tout de même et voit maintenant les événements de façon moins dramatique. J'accepte, à sa demande, d'aller au commissariat lire tout le procès-verbal et passerai demain la tenir au courant et lui donner la réponse de la psychologue pour Pierre, si j'en ai une.

Avant de partir Mme Alexandre me prévient que sa mère est actuellement à la maison et va sans doute me faire une scène.

Cette grand-mère a beaucoup d'influence sur sa fille et l'incite à faire enfermer Charlie. Je sais qu'elle revit à travers son petit-fils les mêmes difficultés qu'elle n'a pu surmonter avec son fils, il y a de cela une vingtaine d'années. Lui aussi est parti, elle ne l'a plus jamais revu et ne veut plus en entendre parler, mais en souffre beaucoup et pousse sa fille à agir comme elle. Je rassure Mme Alexandre : je peux supporter que chacun s'exprime à sa façon et selon ses sentiments, même violemment. Nous sommes sur le pas de la porte et j'ai l'impression de n'avoir pas répondu de la sorte à l'essentiel. Je pense, après coup, qu'il était bien plus question d'elle-même, dans sa mise en garde, que de moi. Mme Alexandre s'aperçoit de l'importance de sa mère dans ses réactions vis-à-vis de son fils. Il faudra que je lui réponde dans ce sens à l'avenir plutôt que de la rassurer sur mon sort.

Au commissariat, un officier de police m'autorise à lire le procès-verbal dans lequel sont mentionnés les méfaits de Charlie. Il est effectivement entré par effraction dans une maison d'un petit village. Il a bien bu un fond de bouteille de porto qui traînait sur une table et mangé des biscuits salés avant de s'endormir tranquillement dans un coin. Il était avec un copain. On l'a vu sortir au petit matin et revenir quelques instants après récupérer sa bicyclette. Le garde champêtre l'attendait et a pu l'appréhender. Comble de malchance, c'était la mairie qu'il avait choisie comme auberge pour y passer la nuit! Il y a plainte déposée pour vol avec effraction.

C'est le procureur de Toulon qui est saisi puisque le délit a été commis dans cette région; il faudra donc que j'en avertisse le juge des enfants d'Avignon qui connaît Charlie, afin qu'il se mette en contact, s'il l'estime nécessaire, avec son collègue de Toulon. Je n'oublie pas que Charlie est déjà condamné à un mois de prison avec sursis et qu'il n'en faut pas beaucoup plus pour qu'un jeune, dans les conditions d'incarcération actuelles et si la détention est trop longue, devienne un vrai délinquant.

Au commissariat, on me parle tout de suite de cette famille comme particulièrement marginale et « repérée », et de Charlie comme le type même du « délinquant perdu ». On comprend mal qu'il soit en liberté et que le juge des enfants n'intervienne pas.

Il faut dire que cette famille a eu pas mal de difficultés avec la police à la suite de conflits avec des voisins du temps où ils vivaient dans des « bidonvilles ». Et puis il y a eu les bêtises de Charlie et de sa sœur aînée. Les gendarmes se sont donc manifestés, parfois à juste titre, mais bien souvent aussi de façon inquisitoriale et brutale, s'acharnant sur une famille en difficulté, sans défense parce que marginale et pauvre.

Charlie et sa sœur Geneviève ont été emmenés plusieurs fois au commissariat à la suite de délits commis ensemble ou séparément. Tous deux ont été interrogés en dehors de la présence de leurs parents. Ils ont été menacés, frappés et gardés à vue sans en référer au juge des enfants et ce durant vingt-quatre heures. J'ai dû alors intervenir.

A la suite de l'un de ces interrogatoires, Mme Alexandre a fini par réagir et a emmené sa fille chez un médecin qui a constaté les coups et a établi un certificat; puis elle a remis ce certificat entre les mains d'un avocat qui a saisi le Procureur de la République. Il n'y aura pas de suite à sa plainte. Il aurait fallu que Mme Alexandre se constitue partie civile. C'est une procédure longue et coûteuse; son avocat la lui a déconseillée... Il est bien difficile de faire valoir ses droits.

Cette même adolescente, il y a quelques semaines, trouve enfin du travail comme serveuse et femme de ménage dans un café. Elle y travaille seulement les matins. Elle est très vite convoquée par le commissariat sans que sa mère puisse obtenir qu'on lui en donne la raison. On lui promet de l'informer au retour. Elle n'ose pas s'opposer à la demande des policiers et laisse sa fille aller avec eux. Lorsqu'ils ramènent Geneviève, les gendarmes n'en diront pas plus. C'est l'adolescente qui nous raconte la séance de chantage qu'elle vient de subir. En s'appuyant sur les

« bêtises » passées et le fait qu'elle n'avait pas dix-huit ans pour travailler dans un lieu public (elle les aura d'ici trois mois), on lui demande de « rapporter » ce que disent et font les jeunes qui viennent consommer. Au cas où elle s'y refuserait, elle aurait tous les ennuis possibles à son travail, sans compter les interrogatoires auxquels elle devra se soumettre chaque fois qu'il y aura des histoires avec les jeunes qui fréquentent ce café.

De telles méthodes contribuent à accroître le ressentiment des jeunes et leur agressivité.

Ceux qui n'ont ni moyens financiers, ni le poids d'un statut social qui entraîne certains égards, ont beaucoup de peine à se défendre. Tout au long de leurs démêlés avec les représentants de l'ordre, j'ai été souvent scandalisé. Ils en acceptaient trop. Je crois qu'ils se sentaient coincés entre le sentiment d'être des marginaux et leur révolte. J'ai toujours essayé alors de faire taire mes propres réactions pour les laisser agir comme ils l'entendaient et les aider à faire ce qu'ils estimaient pouvoir faire.

Ici, je n'engage que moi; c'est pourquoi j'en profite pour soulever ce grave problème auquel nous avons réfléchi avec mes collègues, à la suite d'autres incidents de ce genre.

Il est nécessaire de se poser la question du droit des enfants dans des cas analogues. Quel est le rôle de la police? Sur quel mandat intervient-elle? Dans quelles conditions légales ces différentes interventions doivent-elles être réalisées? Quelle garantie en ont les parents? Comment se déroulent les interrogatoires, qui les fait et en prend la responsabilité?

Pour Charlie ou Geneviève qui se trouvent confrontés à la loi et à ses représentants, c'est un moment important dans leur rapport avec la société. Mais lorsque cela se passe dans de mauvaises conditions, et ce fut le cas, c'est une provocation qui renforce les phénomènes de délinquance chez l'un, et les troubles de la personnalité chez l'autre. Pourtant, il me semble indispensable que Charlie comme Geneviève supportent toutes les conséquences de leurs actes. Ces interventions étaient bien du ressort de la police et nécessaires lorsqu'il y avait délit, mais faut-il encore que les formes de celles-ci soient bénéfiques. Il est important que les jeunes soient confrontés à l'autorité et qu'il leur soit demandé des comptes sur leurs actes. Que cela soit fait avec d'autres méthodes que celles allant du « paternalisme » à l'intervention brutale et sadique.

L'autorité ne se justifie que dans le respect de la personne et de la loi qui est au service de celle-ci. Lorsqu'elle est utilisée à d'autres fins, elle est asservissement et mène à la révolte.

J'ai pu joindre la psychologue scolaire au téléphone et lui parler de Pierre. Il est maintenant l'heure de la fin des classes; certain de les trouver chez eux, je passe chez les Alexandre.

Il règne dans cette maison un chaleureux désordre. Tous vivent dans la même pièce, y compris les chiens, les chats et leur descendance. Tous les enfants sont là, en dehors des deux aînés; le père, lui, ne rentrera que tard ce soir ; Jacqueline (sept ans) et Pierre (neuf ans) manipulent d'énormes tartines qui auront du mal, pourtant, à contenir toute la confiture qu'ils convoitent; ils se préparent dans le même temps un grand bol de chocolat, dans des conditions acrobatiques. Christian (douze ans) joue avec l'un des chiens, Hervé (quatorze ans) lit une bande dessinée, Monique (quinze ans) se peint les ongles, en tentant de protéger son matériel étalé sur un coin de la table. Mme Alexandre trône entre deux montagnes de linge qu'elle reprise et repasse, tandis que la grand-mère lui fait face, surveillant ses petits-enfants, tout en parlant à sa fille dans un « brouhaha » bon enfant; et puis moi, qui ne dérange plus personne depuis longtemps, car j'aime ce moment passé en leur compagnie. Mon arrivée ne peut être que l'occasion pour tous de chauffer un peu plus l'atmosphère.

Dans le regard de la petite dernière que j'embrasse, je crois lire à nouveau l'attente du jour où je tiendrai enfin ma promesse de l'emmener tout en haut du Ventoux. C'est une promesse qu'elle a su m'extorquer il y a déjà longtemps et que je n'ai pas encore tenue. Il faut que je l'exécute cette année ou alors il lui restera à faire une grosse « bêtise » pour que je m'occupe enfin d'elle, puisque je n'y pense pas quand tout va bien...

Quelle assurance et quel changement chez Christian! Cela fera bientôt deux ans qu'il va trouver régulièrement une collègue éducatrice qui l'aide à s'exprimer et à résoudre ses difficultés scolaires. A l'origine, il était complètement replié sur lui-même et cramponné aux jupes de sa mère qui n'arrivait pas non plus à le laisser grandir. Christian a su organiser progressivement ses rencontres avec son éducatrice à partir de ses besoins et de ses désirs. Il est maintenant transformé. Pourtant, depuis quelques semaines, il manque ses rendez-vous du mercredi matin et son éducatrice l'attend en vain. Il faut dire que Christian a pris une place importante auprès de son père qui l'emmène le mercredi travailler sur son chantier. Aussi en est-il très fier et choisit-il son père sans oser le dire à son éducatrice.

Aujourd'hui, comme il est surtout question de Pierre, Christian très protecteur le rassure et lui dit que « s'il a des difficultés à l'école, il n'a qu'à aller trouver son éducatrice qui lui arrangera cela... ». Je trouve que c'est une bonne idée.

C'est l'occasion pour moi d'interroger Christian sur ce qu'il compte faire avec son éducatrice. Désormais il pense pouvoir se débrouiller seul, mais ne sait pas comment le lui dire. C'est sa mère qui l'aide en lui faisant remarquer que son éducatrice ne peut que se réjouir de le savoir assez grand. C'est sûrement ce qu'elle lui souhaitait. Il quête mon avis du regard et je lui affirme que c'est aussi mon sentiment, ravi que sa mère puisse le lui dire aussi clairement. C'est vrai qu'elle accepte maintenant qu'il grandisse en dehors d'elle et suive son père.

Nous en revenons à Pierre. Je leur communique mes informations : la psychologue prendra contact avec l'institutrice mais pas dans l'immédiat.

Pierre manifeste son inquiétude car on parle beaucoup de classe de perfectionnement autour de lui. Cette classe est dans son école et il y a une ségrégation vis-à-vis de ces classes de gosses en difficulté, ségrégation ressentie par les enfants à travers le système compétitif de la scolarité, mais aussi entretenue, parfois, par les enseignants eux-mêmes qui menacent leurs élèves « paresseux » de les y mettre. Christian est dans cette classe cette année. Il a bien travaillé et va rattraper le cycle normal. C'est l'aspect positif retenu par Pierre. Mais avec ses frères, ils évoquent dans le même temps un garçon bizarre de cette classe qui les provoque, se met en colère et lance des cailloux... Pierre semble particulièrement sensible au comportement de ce garçon, « qui est fou » selon lui. Ses frères l'invitent à ne pas répondre car il ne sait pas se retenir... Je lui dis que sans doute ce garçon va, lui aussi, faire des progrès comme son frère et que son comportement s'arrangera. Il peut l'y aider s'il arrive à ne pas envenimer les provocations dont il est l'objet. En tout cas, rien n'est décidé pour lui, il faut attendre l'avis de la maîtresse et de la psychologue et, puisqu'il dit faire des progrès actuellement, qu'il continue.

Je n'ai pas encore évoqué la grand-mère qui reste silencieuse, assise en face de sa fille, n'intervenant que pour reprendre celui-ci ou celle-là de ses petits-enfants lorsqu'ils « se tiennent mal ». Très souvent, c'était elle qui orchestrait les débats, couvrant les paroles de sa fille d'avis très autoritaires et moralisateurs.

Aujourd'hui Mme Alexandre s'impose comme mère responsable et reprend notre discussion de la dernière fois. Ils viennent de recevoir, coup sur coup, deux cartes postales de Charlie : c'est inhabituel! Charlie affirme dans l'une d'entre elles qu'il envoie de l'argent, ce qui fait « fondre » sa mère sans pourtant lui faire oublier tout à fait ses griefs. Elle pense qu'il s'agit là tout de même d'un geste réparateur et en est touchée. C'est une attitude nouvelle de Charlie que je souligne en rapportant les renseignements que j'ai pu glaner au commissariat. Mme Alexandre voit maintenant cette histoire sous un jour moins sombre et estime que, tout compte fait, il ne grandit pas si mal depuis qu'il est parti.

La grand-mère ne peut en supporter davantage et « fait l'addition » en évoquant le passé. Ce n'est pas la forte agressivité qu'appréhendait sa fille, car elle parvient à maîtriser son émotion, mais elle s'échauffe tout de même suffisamment pour réclamer dans son réquisitoire que Charlie soit enfermé afin de le protéger contre lui-même. Elle me reproche dans le même temps de le défendre au lieu de le surveiller de plus près.

Cela ramène Mme Alexandre à ses incertitudes. Elle a hâte que Charlie soit majeur pour être tranquille à son sujet; cela dure depuis si longtemps... mais elle souhaite qu'il s'en sorte et sait que cela dépend aussi d'elle. C'est pourquoi, malgré la sensation d'un échec sur le plan éducatif, et avec ses limites, elle tente de s'en soucier encore le mieux possible.

Et puis nous parlons de cette villa dans laquelle ils viennent de s'installer, avec un jardin dont ils peuvent profiter et qu'ils vont mettre en valeur. La vie leur semble plus facile malgré les difficultés financières que représente ce changement.

Ils habitaient, avant, des « préfabriqués », genre cabanon, entassés tous les neuf dans cinq petites pièces avec un seul poêle à mazout dans la salle de séjour. L'hiver, les murs suintaient d'humidité et le salpêtre gagnait jusqu'au plafond dans les chambres. Les enfants comme les parents attrapaient grippes, bronchites, otites, angines et n'en sortaient qu'aux beaux jours. Il fallait faire venir le médecin sans toujours pouvoir le payer. Mme Alexandre n'osait pas : il fallait choisir entre manger ou se soigner. Puis l'aînée a commencé à travailler, le père était un peu mieux payé et Mme Alexandre s'organisait plus efficacement. Depuis des années, elle rêvait d'une villa où ils seraient enfin chez eux et pourraient vivre dans des conditions normales. Elle a fini par y parvenir ce mois-ci, mais en prenant des risques financiers, et se trouve maintenant dans une situation difficile. Elle ne pourra pas s'en sortir seule.

Pour emménager dans la villa, il a fallu qu'ils payent deux loyers d'un seul coup. Elle y est parvenue en économisant; elle sait qu'il faudra trois mois pour que l'allocation logement soit transférée et qu'elle puisse la toucher... Elle va avoir du mal à payer les prochaines mensualités mais pense y arriver. Elle s'est donc installée après avoir donné son préavis à la société HLM qui gérait son précédent baraquement. Elle n'avait pas le choix sur la date d'emménagement et a dû déménager un mois après avoir pris sa décision alors que le préavis HLM est de trois mois... Il lui en reste deux à payer et à cela s'ajoute le règlement des dégradations qui comprend l'état des murs et bien sûr les tapisseries... au total : 3 000 F y compris les loyers correspondant au temps de réfection! Cela, elle ne peut le payer.

Si Mme Alexandre en avait tenu compte, elle était condamnée à vivre dans cette situation, avec sa famille, encore de longues années, faute de moyens pour faire la transition.

Avec l'aide de son assistante sociale, Mme Alexandre est prête à se défendre et à défendre la possibilité nouvelle qu'elle a de vivre enfin dans des conditions décentes. C'est tout cela qu'elle m'explique en me demandant de l'aider aussi. Je ne sais pas si toutes ces exigences de l'office HLM sont bien légales. Il me semble qu'il faudrait obtenir un conseil juridique qui permette à Mme Alexandre de connaître ses droits. Mais qui? Je vais essayer de me renseigner.

Au moment de partir, la bonne humeur a repris son bon droit malgré tous ces soucis. Nous convenons que j'attendrai des nouvelles de Charlie avant de repasser.

Cette fois, c'est bien Charlie que j'ai au téléphone. Il m'appelle de Manosque où il est depuis le matin. Il a deux jours de congé et souhaite les passer chez lui; il me demande de venir le chercher...

Mon début d'après-midi est libre à la suite d'une réunion reportée il y a quelques minutes seulement. Il est onze heures. Je décide de saisir cette occasion pour aller voir Charlie et pars immédiatement. Nous devons nous retrouver devant la poste, en tout début d'après-midi.

Manosque est éloigné, mais c'est dans ces conditions que je

parviens à garder le contact avec Charlie qui me sollicite toujours à l'improviste et pour l'immédiat. Ce changement de date de réunion au dernier moment m'avait contrarié et finalement c'est une heureuse coïncidence qui me permet d'être libre à l'instant où Charlie me demande.

Je déjeune seul en cours de route, songeant à cette rencontre prochaine avec Charlie. Celui-ci m'attend bien, à l'heure dite, devant la poste. Il n'est pas seul : un copain de son âge l'accompagne et monte avec nous en voiture. Charlie ne m'a rien demandé. Cela lui semble tout naturel et c'est bien ainsi que je le prends, sachant toute l'importance d'un copain dans un cas comme celui-ci. Nous aurons le temps de faire connaissance, et à travers lui, je connaîtrai mieux Charlie.

Nous en avons pour deux heures de voiture. Je note combien Charlie est plus à l'aise dans cette situation. Il a moins de réactions de prestance, malgré son copain qui prend bientôt part à notre discussion. J'apprends vite qu'ils travaillent ensemble, draguent les filles ensemble et que c'est ce copain qui écrit les cartes postales de Charlie. La fête foraine leur plaît. Dans la caravane, ils sont attachés au stand des autos-scooters tenu par une femme qui semble leur faire confiance. Ils se sentent un peu les hommes de l'affaire et responsables; ainsi ils s'organisent comme ils l'entendent pour que ça marche bien. Ils sont logés mais doivent se débrouiller pour prendre leurs repas. En dehors de cela, ils mènent une vie insouciante qui les satisfait. Le copain a l'air bien jeune, je me demande d'où il peut sortir mais je ne pose pas de question. J'ai le sentiment que tous deux s'entendent bien. Leur travail leur plaît et ils sont contents.

Pour Charlie, en tout cas, c'est manifestement un moment heureux de son existence vagabonde. Je ne l'ai encore jamais vu si bien. Pourvu que cela dure!

A mi-chemin, nous nous arrêtons pour prendre de l'essence et nous allons boire un pot. Ils me « mettent au parfum » des choses de la fête. Pour eux, c'est comme si c'était Noël tous les soirs!

Tout près du but, Charlie s'inquiète de l'accueil qui lui sera fait chez lui. Nous évoquons les derniers événements : sa carte postale, la convocation de sa mère à la gendarmerie, l'histoire de la mairie. Pour lui, ce n'est pas bien grave, il est plus soucieux de la réaction de ses parents qui ne sont pas au courant de sa visite. Il me demande mes impressions et la réaction des siens. Il voudrait que je facilite son arrivée.

J'ai accepté de venir le chercher et c'est une affaire entre nous deux, mais là il s'agit de ses difficultés avec ses parents. Il vit seul dans des conditions qui le rendent responsable de ses actes et c'est lui seul qui a décidé de remonter chez lui. Je lui fais remarquer que je le trouve changé, plus grand, plus à l'aise, enfin détendu et que, dans ces bonnes conditions, il saura très bien s'expliquer tout seul. Tout compte fait, il est d'accord et me semble même presque satisfait de faire « son entrée » par lui-même.

Je les laisse bientôt. Ils doivent redescendre dans deux jours pour reprendre leur travail.

Ils sont bien repartis comme prévu, je les croise tous les deux sur la route du retour, agitant le pouce dans la bonne direction : celle de la fête.

Corinne et David Sylvestre

Tous les jeudis, j'attends alternativement Corinne ou David à la sortie de leur école.

Aujourd'hui, c'est Corinne qui vient me rejoindre. Elle traîne, comme un boulet, un gros cartable bleu clair qui épuise vite l'énergie de ses sept ans. A la voir, je ne peux m'empêcher de penser que cette lutte avec son cartable trop lourd est à l'image des difficultés de Corinne avec sa scolarité. Quand elle m'a rejoint, c'est avec un soupir de soulagement qu'elle accepte de me confier sa charge jusqu'à la voiture.

Là, nous discutons un instant de ce que nous souhaitons faire ensemble. Corinne désire aller au Service. J'accepte bien volontiers, mais avant, parce que j'ai faim, je lui propose d'aller acheter des gâteaux; ainsi nous pourrons goûter ensemble.

Durant le trajet, Corinne me désigne brusquement Christiane qui marche sur le trottoir opposé. Je m'applique à bien la voir, comme elle le réclame, malgré l'attention qu'exige aussi la conduite de ma 4 L.

Christiane est son amie, et je me souviens que Corinne en a fait le personnage principal d'une « bande dessinée » qui racontait ceci :

Dessin 1

Il était une fois une petite fille qui s'appelait Christiane,
Il lui restait une dernière fleur rose qu'elle avait cueillie.
Elle l'amena à sa maison.
Elle la mit dans un joli vase bleu.

Dessin 1

Dessin 2

Dessin 3

Dessin 2

Elle l'a posée dans son vase qui était sur la table.
Après qu'elle l'a posée, elle la sent et elle dit :
« Qu'elle sent bon, Maman! »

Dessin 3

Cette fleur, sa maman lui dit :
« Pourquoi tu l'as cueillie? C'était la dernière qui restait.
Est-ce que tu as laissé la racine quand même? »
Alors elle lui dit :
« Oui maman, comme ça il en poussera d'autres. »
Avec les racines qui restent, il en restera comme il y en avait en tout.
Et nous, on en a mis une de plus.
Il y en avait douze de fleurs, plus une, cela fait treize.
Il y en aura maintenant, l'été, treize.

Elle l'a ressentie le lendemain matin
Elle criait : « Maman! Maman! Maman!
Regarde la fleur, elle a grossi de plus en plus. »
« Oh oui! Tu as eu raison de la cueillir », lui dit sa maman.

Christiane est très importante pour Corinne, et je sais bien qu'en me la présentant, c'est aussi d'elle-même qu'elle me parle, comme elle le fait à travers ses jeux et ses dessins depuis qu'elle sait pouvoir compter sur moi et me faire confiance. Ici, l'aspect symbolique de l'histoire de Corinne évoque le départ de son père, véritable arrachement; mais, au-delà de toute interprétation, l'essentiel est que Corinne exprime spontanément et à sa façon ce qui la préoccupe.
Il a fallu du temps pour cela.

Lorsque je suis arrivé chez elle, son père était parti depuis six mois déjà. Sa mère avait beaucoup de mal à accepter cette séparation et à vivre seule; aussi avait-elle accepté volontiers, sur la proposition de son assistante sociale, l'idée qu'un éducateur puisse l'aider. A la maison, on parlait alors souvent de « choses menaçantes » autour du divorce en cours de ses parents et du droit de garde des enfants. Corinne était insécurisée et mon arrivée, liée à tous ces problèmes et aux siens qui en découlaient, n'était pas pour la rassurer.

C'est d'abord avec son frère David — neuf ans — que j'étais allé parcourir la campagne provençale où il aimait se mesurer en ma compagnie aux « éléments naturels » pour vaincre certaines de ses appréhensions et surtout dépenser une énergie totalement inhibée par ailleurs. Rassurée par ce bon contact avec son frère aîné, Corinne avait décidé alors de l'utiliser comme intermédiaire pour me faire savoir son désir de venir aussi avec moi. Ce message transmis, David avait choisi de continuer à venir seul ; c'est une exclusivité qu'il voulait préserver. Corinne viendra me voir à d'autres moments, seule aussi.

Nous sommes maintenant dans mon bureau, bien installés pour goûter. J'ai très vite mangé mon chausson aux pommes, et Corinne me propose généreusement le pain d'épice que sa mère lui a donné pour son « quatre heures ». Elle se contentera, m'assure-t-elle, de son « baba » et d'un verre de sirop à la menthe que je lui prépare.

Très souvent, Corinne choisit de venir ici où elle se sent bien. Nous jouons à des jeux de société, ou dessinons en parlant de sa poupée, de son chat qui ne peut s'entendre avec le chien, de ses jeux à l'école ou à la maison, des disputes avec son frère... Cette fois, Corinne ne choisit aucune activité mais s'installe pour me parler sur un ton sérieux et confiant. Elle m'explique ses craintes concernant David qui lui a raconté que je l'avais fait pleurer, la dernière fois, en lui parlant de son père...

Je suis étonné du souci qu'elle se fait pour son frère et je cherche à me rappeler ce qui s'était passé avec David, pour pouvoir mieux comprendre son intervention. Je me souviens d'avoir surtout parlé avec David de son travail scolaire. En effet, la dernière fois que je suis allé le chercher à l'école, nous avions rencontré sa maîtresse qui m'avait abordé pour me dire devant lui qu'elle était mécontente de son travail : « Il est paresseux et se refuse à tout effort. »

Un peu plus tard, j'avais jugé possible d'appuyer les paroles de son institutrice et de lui réclamer moi aussi un effort dans son travail scolaire. David me paraissait assez solide maintenant pour que je puisse lui parler aussi directement. Je voulais qu'il s'engage vis-à-vis de moi et nous en avions discuté longuement, en réfléchissant ensemble à certains aménagements de son travail personnel.

Bien sûr, il avait été aussi question des difficultés familiales, mais sans insister. C'est pourtant à leur évocation que David, soudain, s'était réfugié dans les larmes et dans une attitude de victime. Tout en tenant compte de son effondrement, j'avais maintenu mes exigences jusqu'à ce qu'il parvienne à décider, malgré tout, de faire cet effort scolaire. J'avais cependant été surpris par cette réaction à laquelle je ne m'attendais pas; et je le suis de la façon dont David a rapporté cette scène à sa sœur, ramenant toutes ses difficultés scolaires et toute notre discussion aux difficultés causées par le départ de son père. J'ai le sentiment que cette attitude de fuite a été encouragée par un entourage compatissant. Il me semble aussi que je ne suis pas tombé à un « bon moment » contrairement à ce que j'avais cru. Mais cela, je ne sais pas à quoi l'attribuer.

C'est un peu ce que je dis à Corinne qui attend mes explications. Rassurée sur mes bonnes intentions à l'égard de son frère, elle m'explique à son tour la façon dont elle comprend les réactions de celui-ci :

David pleure souvent quand il est question de son père, c'est plus difficile pour lui parce que c'est son père qui est parti et que son père l'aime davantage qu'elle. Quand ils vont le voir en week-end, c'est David que son père prend sur ses genoux pour le gâter; elle non... mais c'est peut-être parce que David est l'aîné et que son papa s'est occupé plus de lui quand il était tout seul comme enfant et qu'elle n'était pas encore née. C'est peut-être pour cela qu'il continue à s'occuper de lui plus que d'elle. D'ailleurs pour elle, c'est sa maman qui compte le plus. Alors, c'est plus difficile maintenant pour David.

Je suis étonné par l'analyse que parvient à faire ce petit « bout de femme » : c'est la première fois qu'elle formule aussi directement ce qui les concerne, elle et ses parents, et la place à laquelle elle a droit. Corinne a dû beaucoup y réfléchir pour organiser et rationaliser ainsi sa situation familiale. C'est ce dernier point seulement que je lui souligne. Certes, dans ses dessins et sa scolarité, ses émotions ne s'ordonnent pas si facilement. Pourtant, Corinne, aidée en cela par ses talents d'expression et la bonne relation que nous avons, essaye de rétablir maintenant des liens satisfaisants avec son père malgré la désapprobation de sa mère, de laquelle elle reste très dépendante. C'est une démarche que nos rencontres autorisent mais qui n'est pas simple pour elle : ainsi, lors d'un dessin précédent, elle a capitulé, malgré son désir de dessiner un « homme » : « Je ne sais pas, je n'y arrive pas. »

Corinne poursuit la conversation pour me parler maintenant de choses qu'elle a à me dire et qui la concernent :
« Vous savez, j'ai un fiancé qui s'appelle Nicolas. Ma mère a parlé à son père déjà une fois. Je lui offre des bonbons à travers le grillage qui sépare les filles des garçons. » (Devant mon étonnement, elle m'explique qu'il y a un grillage pour éviter que les garçons ne fassent mal aux filles.)
Nicolas lui a dit merci mais ne vient pas la voir aussi souvent qu'elle le voudrait. Il ne s'occupe pas assez d'elle. Elle ne sait pas comment s'y prendre avec lui et cela la préoccupe.
Je lui dis qu'il faudra peut-être qu'elle soit patiente, mais que de toute façon, je comprends bien son souci et le partage. Elle saura certainement arranger tout cela...
Sans doute satisfaite, Corinne décide maintenant de jouer. Elle choisit dans l'armoire un jeu de Mikado et va s'acharner durant plusieurs parties à me « gagner ».

C'est un jeu difficile pour une petite fille qui se trémousse sur son fauteuil sans parvenir à tenir en place; elle risque constamment de faire tout tomber. Corinne arrive pourtant à contrôler suffisamment son instabilité pour bien jouer, et ses efforts sont couronnés de succès lorsqu'elle parvient à prendre le « Mikado » tant convoité. C'est une performance qui la met en joie et qu'elle s'empresse de souligner. Je l'apprécie bien volontiers comme telle, mais sans pour autant la laisser gagner, malgré le désir qu'elle en a et qu'elle exprime. C'est une concession que je ne peux lui accorder; elle est bien trop intelligente pour l'accepter et s'en réjouir; je ne veux surtout pas truquer notre relation. Je lui dis, par contre, que c'est un jeu difficile qui me donne beaucoup plus de chances de gagner qu'elle et qu'en cela la partie n'est pas très égale.

Nous sommes ensemble depuis presque deux heures et nous avons un peu dépassé le temps habituel. Il faut maintenant nous dépêcher pour que Corinne retrouve sa mère, comme convenu, à la sortie du travail. Avant de partir, je prends le temps d'inscrire le nom de Corinne sur mon agenda, en le soulignant. Je la verrai dans quinze jours. Elle vient s'en assurer en jetant un regard attentif sur ce que je viens d'écrire ainsi que sur la date. Car nous sommes deux maintenant à nous occuper d'elle depuis bientôt un mois et cela complique un peu nos rencontres.

Une collègue, éducatrice scolaire, prend Corinne deux fois par semaine pour l'aider à dépasser un blocage en lecture. Pourtant Corinne est intelligente et devrait bien apprendre. Mais son père est parti au moment où elle commençait à lire et il y a eu une « cassure » dans sa démarche d'apprentissage, tout comme il y a eu « cassure » en elle-même. Corinne avait voulu arranger cette difficulté de lecture avec moi, bien que je lui aie parlé de quelqu'un d'autre pour cette tâche. Ce jour-là, elle était arrivée avec son gros cartable d'écolière, elle avait tout déballé sur la table et avait essayé de m'engager à tout prix dans un processus d'apprentissage. Devant ses livres et ses difficultés, malgré sa

57

bonne volonté, je lui avais montré que je ne pouvais l'aider aussi bien que l'éducatrice scolaire qui travaillait avec moi dans ce même service. En fait, je compris que Corinne avait surtout peur que cette dame ne me remplace...

Je l'avais rassurée, et c'est pour cette raison que je m'efforce d'inscrire scrupuleusement nos rendez-vous et de maintenir le même rythme à nos rencontres.

Cette fois-là, Corinne, avant de partir, m'avait tendu son livre de lecture pour que je lui lise quelques histoires. Je crois n'avoir jamais lu avec tant de conviction, à haute voix, et Corinne en avait pris beaucoup de plaisir.

Je comprends maintenant que j'avais agi d'instinct en affirmant ainsi que savoir lire était agréable et ne signifiait pas rupture, à un moment où c'est cela qu'elle appréhendait.

Elle s'en était allée rassurée et pouvait rencontrer son éducatrice dans de bonnes conditions.

La semaine suivante, en attendant David à la sortie de l'école, je réfléchis à ce précédent jeudi au cours duquel je lui avais réclamé des efforts scolaires. Je reste surpris de ses réactions d'alors; je le croyais davantage maître de ses émotions depuis qu'il vivait en sécurité avec sa mère et sa sœur. Je n'ai toujours aucun élément qui me permette de mieux comprendre son effondrement. Aussi je souhaite ne pas revenir sur cet événement tant que je n'y verrai pas plus clair.

Sitôt sorti, David décide de venir au service pour dessiner. C'est un moyen d'expression qu'il utilise avec prédilection, dans la mesure où je veux bien y participer. Il est d'autant plus à l'aise que j'ai dû dévoiler ainsi mes difficultés dans ce genre d'exercice... alors David se sent à la hauteur. Pourtant, il admire parfois mon dessin. Cette indulgence renforce chez moi le sentiment de l'importance de ma participation et de la sécurité qu'il y trouve, bien plus que celui d'avoir réussi mon dessin...

Il y a quelques dessins de David qui semblent montrer le bien qu'il en tire.

A la fin du trimestre dernier, par exemple, David avait raconté, à sa façon, l'histoire du petit Poucet et de ses frères abandonnés par leurs parents dans la forêt. Il avait beaucoup insisté sur la façon dont le petit Poucet avait pu se tirer d'affaire pour finalement retrouver ses parents, sa maison et la sécurité. Il terminait son histoire au nom des parents :

« Ils travaillèrent et gagnèrent beaucoup de sous; et ils ne firent plus jamais cela. »

A cette époque, David commençait à se sentir enfin en sécurité avec sa mère, qui parvenait à s'en sortir seule sur le plan financier et s'occupait d'eux dans de bonnes conditions. D'autre part, son père ne remettait plus en question la décision judiciaire le confiant à sa mère.

Dans d'autres dessins, David exprimait une agressivité insoupçonnée. C'étaient alors des scènes violentes. Cela m'avait surpris parce que c'était en contradiction apparente avec l'image qu'il donnait de lui-même : son calme et sa passivité étonnaient et même inquiétaient son entourage.

J'avais pensé que cette agressivité refoulée devait lui paraître bien dangereuse pour qu'il dût s'en défendre si fort, à s'en trouver paralysé. Cette lutte épuisait toute sa vitalité et il se réfugiait dans la rêverie et le songe, sans force pour affronter les actes de la vie quotidienne.

Le dessin me paraît, pour David, un moyen de se libérer de toutes ces tensions internes que je devine; je lui en donne donc l'occasion chaque fois qu'il en exprime le désir.

Mais, le plus souvent, il choisit de partir se promener à l'aventure. Je respecte alors de très près ses choix, ne manifestant ma volonté que pour mieux stimuler la vitalité qui s'éveille en lui, au fil de ses intérêts.

Dès notre arrivée au service, David s'installe sans perdre de temps. Il décide de raconter, en bande dessinée, une histoire de *Titi et Gros Minet*. Je ne me sens pas tellement inspiré pour arriver à dessiner l'un ou l'autre des personnages que je connais peu! Aussi nous convenons que c'est moi qui écrirai l'histoire, sous sa dictée, au fur et à mesure de son inspiration et que c'est lui qui fera les dessins.

David divise sa feuille en neuf cases et va mettre beaucoup de temps avant de pouvoir commencer son dessin. Il semble ne pas se décider, et chaque fois qu'il va esquisser un personnage, il suspend son geste pour se lancer, à n'en plus finir, dans des histoires de *Titi et Gros Minet* qu'il a lues ou vues à la télévision. Ces histoires semblent le fasciner, et il est intarissable, surtout à propos de « Gros Minet », personnage central de tous ses récits. Je m'aperçois de sa difficulté à démarrer et contrôle mon désir de voir le dessin enfin s'amorcer. Je tente plutôt de faciliter ses commentaires sur ce gros chat que David fait vivre à la fois comme bourreau et victime, l'animant de la voix en passant du rire à la compassion.

Ce n'est qu'après ces multiples récits que David commence à dessiner. Mais l'heure avance et nous devons nous interrompre très vite, trop vite à son gré. Il décide de poursuivre la prochaine fois.

Après m'être assuré qu'il avait bien la clé de chez lui, nous partons et je profite du trajet pour lui demander des nouvelles de l'école. David me raconte volontiers ces quinze derniers jours et les efforts qu'il a faits ainsi qu'il me l'avait promis. Il n'est pas question de l'incident de l'autre jour et, après m'avoir répondu, il s'enquiert à son tour de savoir si je suis satisfait. Je constate ainsi que David ne s'est mobilisé que pour des raisons extérieures à ses propres motivations, essentiellement pour me faire plaisir. Dans ma réponse, j'essaye de l'éclairer sur sa démarche tout en appréciant son effort.

David choisit ce moment pour m'annoncer que, de toute façon, il pense redoubler l'année prochaine. C'est en effet très probable, d'après les réactions de sa maîtresse l'autre jour. Aussi, sans pour autant nier l'importance de l'école, j'en accepte l'augure. L'important pour moi reste qu'il puisse résoudre les difficultés familiales dont il souffre actuellement. Plus heureux, il est probable qu'il sera plus disponible l'année prochaine et pourra s'intéresser de nouveau à son travail scolaire.

Quinze jours plus tard, David est toujours très occupé de son histoire de *Titi et Gros Minet*, et nous allons au service où il va la terminer.

Autant, la fois précédente, David avait dessiné avec une certaine retenue des personnages un peu figés, autant, cette fois-ci, il se lance à corps perdu dans son dessin, esquissant très spontanément des personnages libérés d'eux-mêmes comme de ses hésitations.

Au fur et à mesure, il raconte, et je note son histoire :

« Gros Minet a surpris Titi en train de se promener dans l'appartement. Il se lèche les babines et se dit : " Je vais en faire mon repas ". Il fonce sur Titi, il a dans ses mains une raquette et une épuisette.

« Titi se sauve épouvanté; il fonce vers la porte de sa grand-mère. Gros Minet se dit qu'il est coincé car la porte est fermée. Mais Titi plonge dans un trou au bas de la porte et Gros Minet, emporté par son élan, veut le suivre.

« BOUM!!! Le trou est trop petit et Gros Minet va s'écraser contre la porte qui vole en éclats. Le pauvre en voit de toutes les couleurs et il tombe par terre de tout son long; il saigne du nez et n'a pas fière allure.

« La grand-mère sort et les attrape tous les deux par la peau du cou car ils avaient promis de ne plus se battre. Gros Minet est encore tout assommé et Titi dit : " Il énerve ce Gros Minet. " La grand-mère les envoie s'asseoir dans un grand fauteuil pour lire tranquillement.

« Ils semblent être devenus les meilleurs amis du monde, mais

dans sa tête, Gros Minet rêve toujours d'attraper Titi et Titi, de son côté, rêve de pouvoir assommer Gros Minet avec une casserole.» *(Dessin)*

Le résultat réjouit David autant que le bien-être qu'il en tire à s'être exprimé comme il le voulait.

Pour ma part, je prends de plus en plus en considération son « affection » pour Gros Minet qui épouse si bien les luttes et les tensions que David ressent en lui comme nous les ressentons tous. Bien sûr, les déguisements sont différents. Ce Titi que Gros Minet désire mais qui lui est interdit et qui se joue de lui, cette grand-mère qui semble rétablir l'ordre, arbitre de leurs différends toujours prêts à resurgir, sont un peu les personnages de notre vie consciente et inconsciente. A travers son dessin, David tente de se comprendre.

Avant de partir, il décide d'afficher son dessin sur l'un des murs de mon bureau.

Corinne et David habitent avec leur mère une cité HLM près de la ville. C'est là que Mme Sylvestre est venue s'installer après le départ de son mari.

Il est 13 heures, les enfants déjeunent à la cantine de l'école, c'est le moment de la journée que Mme Sylvestre m'a proposé pour venir la rencontrer et bavarder tranquillement avant qu'elle reparte à son travail. Nous nous voyons assez fréquemment, sauf ce dernier mois, à la suite de divers contretemps du côté de Mme Sylvestre.

Dès mon arrivée, il est question des vacances de Pâques qui commencent d'ici quelques jours. Mme Sylvestre est véhémente; son ex-mari veut prendre les enfants pour le week-end de Pâques, alors qu'elle a décidé de partir avec eux cette semaine-là. Elle invoque ses droits et, pour les appuyer, va chercher le texte de son jugement de divorce. Pour ne rien arranger, les enfants lui auraient rapporté de leur dernière visite chez leur père que celui-ci voulait faire appel à la police au cas où elle s'opposerait à son désir. Malgré la précision du jugement confiant les enfants à leur mère et fixant les droits de visite du père, tous deux sont en conflit permanent à ce sujet. Ils s'évitent et ne peuvent exprimer leurs griefs. Les enfants leur servent alors d'intermédiaire et sont porteurs de tout ce qui va leur permettre d'alimenter leurs « différends ».

Déjà, les vacances de Noël s'étaient mal terminées car, faute d'une entente préalable suffisamment claire, les enfants avaient été ramenés par leur père au commissariat. Il est facile d'imaginer leur désarroi...

Pour le moment, Mme Sylvestre affirme sa position. Elle se sent très forte depuis que le jugement de divorce a été prononcé il y a quelques semaines; elle veut imposer sa volonté à son ex-mari. Il n'est pas question qu'elle facilite et aménage les visites des enfants.

Durant ces derniers mois, nous avons discuté bien souvent de l'évolution de David et Corinne en fonction de leur vie avec elle et des rencontres avec leur père. Mme Sylvestre s'est intéressée aux problèmes que leur séparation posait aux enfants et a cherché à mieux les comprendre. Aujourd'hui, elle n'évoque que leurs difficultés scolaires, et elle les ramène à des problèmes d'enseignement. J'ai du mal à suivre ce revirement et je ne parviens pas à me l'expliquer, d'autant qu'elle m'affirme maintenant son désir de garder ses enfants pour elle toute seule : « Il faudrait que je parte loin... »

Je suis dérouté par son attitude et je m'aperçois durant cette discussion que je parle beaucoup au nom des enfants, contrairement à mes projets. Je suis en train de m'en faire l'avocat, poussé en cela par Mme Sylvestre qui se démarque de ses propres sentiments comme pour neutraliser notre bonne relation passée. Je sens comme une coupure, sans parvenir à en parler dans la discussion.

Il y a quelque temps, à la suite d'une réflexion d'équipe, j'avais pris conscience de tout ce qui n'avait pas été dit entre mari et femme au moment de leur séparation et qui réapparaissait en permanence à travers, et par les enfants. J'avais essayé alors de moins parler des enfants pour permettre à Mme Sylvestre de parler davantage d'elle-même. Je pensais qu'elle pourrait percevoir ainsi tout ce qui n'avait pas été réglé avec son ex-mari et qu'elle tentait inconsciemment de faire « payer », en partie à David qu'elle identifiait parfois à ce dernier, et aux deux enfants qu'elle utilisait pour atteindre leur père.

A l'occasion de ces rencontres, Mme Sylvestre m'avait raconté, entre autres, les événements importants qui avaient marqué son enfance jusqu'à son mariage. Abandonnée par son père ainsi que ses nombreux frères et sœurs, elle avait vécu toute son enfance, séparée d'eux, dans un établissement qu'elle n'avait quitté qu'à la fin de l'adolescence.

Je comprenais mieux ses réactions au départ de son mari et ce qui lui faisait si mal ressentir l'importance du « couple » pour David et Corinne.

Nos rencontres semblaient la satisfaire jusqu'à ces derniers temps, mais ensuite elle les a évitées et aujourd'hui elle se présente de façon très différente.

Je ne veux pas m'enfermer dans ce rôle de défenseur des enfants, tout comme je n'ai pas accepté d'arbitrer les conflits du couple. C'est pour éviter cela que je ne me suis pas occupé du père des enfants. Je lui propose de régler ces problèmes par l'intermédiaire de l'assistance sociale ou du juge des enfants si elle pense qu'il ne peut y avoir d'accord entre eux. Je tente ainsi de me resituer comme celui qui est là pour l'entendre.

Malgré tout, je pars avec le sentiment d'un revirement dans l'attitude de Mme Sylvestre qui, cette fois, n'a rien fait pour organiser des vacances de Pâques sans conflit. Mais je comprends mieux l'effondrement de David l'autre jour, ainsi que l'instabilité de Corinne la semaine dernière avec son éducatrice. L'une et l'autre réaction des enfants sont liées au climat d'insécurité qui règne à la maison à la suite du différend qui oppose leurs parents pour l'organisation de ces vacances.

Georges, Sylvain et Jocelyn
Ahmed

Sylvain vient d'être mis définitivement à la porte d'un foyer spécialisé de jeunes travailleurs où il vivait depuis plus d'un an. C'est par téléphone qu'un éducateur du foyer m'apprend cette nouvelle. J'ai du mal à comprendre cette brusque décision : ainsi transmise, elle me tient à l'écart du débat sans me permettre d'en comprendre les vraies raisons. Je comprends d'autant moins que je devais rencontrer l'équipe éducative de ce foyer la semaine suivante, au cours d'une réunion où nous devions examiner le cas de ce garçon, qui ne parvient pas à se prendre en charge malgré ses dix-huit ans.

On me dit que le juge des enfants est au courant et ratifie l'avis de l'équipe du foyer. Je lui téléphone aussitôt, et il me le confirme : « A dix-huit ans, la nouvelle législation fait de Sylvain un garçon majeur qui doit pouvoir se débrouiller... » C'est une façon bien simple de régler le problème ou plutôt d'éviter de le faire : la loi ne transforme pas miraculeusement un adolescent immature en adulte responsable.

Avec un peu de recul, j'admets vite que, dans le fond, je pressentais tout cela sans trop vouloir le reconnaître. Depuis quelque temps, lors de mes rencontres avec Sylvain et son foyer, j'avais eu le sentiment que l'équipe éducative démissionnait et se « désaccordait » devant cet adolescent trop passif. Seul, un éducateur que je connais bien s'était obstiné, mais trop seul.

Dans un tel contexte, c'est sans doute une décision honnête qui vient d'être prise. Nous sommes tous amenés à en prendre une semblable un jour ou l'autre. Elle marque nos limites; nous devons pouvoir les reconnaître et agir en conséquence.

Ce foyer a pour objectif la mise au travail et l'autonomie des jeunes; Sylvain n'a pu y parvenir malgré quelques tentatives. Il donnait l'impression de s'installer dans la passivité sans qu'aucun stimulant puisse l'en sortir. A bout d'arguments, l'équipe est donc allée jusqu'à le mettre dehors à sa majorité, espérant le secouer enfin. Depuis plus d'un mois, il doit se débrouiller par ses propres moyens pour dormir là où il peut en vagabond; seuls ses repas lui sont assurés. Rien n'y a fait.

Nous sommes en hiver. Il fait très froid, même dans notre région méridionale. Je ne sais comment Sylvain tient le coup... Il me racontera par la suite qu'il devait marcher presque toute la nuit pour ne pas se laisser engourdir par le froid qui le pourchassait où qu'il aille. Pendant cette mise à l'épreuve, son éducateur a fait de nombreuses démarches pour lui trouver un travail; recherche difficile, car Sylvain a peu de possibilités et nous sommes dans une période de chômage intense. Il n'a rien trouvé.

Maintenant Sylvain est définitivement dehors, seul, sans abri et sans moyen de subsistance. Il lui reste que nous nous connaissons depuis plus de trois ans; trois années au cours desquelles j'ai été mêlé de près à son existence douloureuse et difficile, partageant longtemps ses silences et sa méfiance..., jusqu'à ce qu'il s'interroge sur lui-même et sa famille quand nous avons commencé à compter l'un pour l'autre. Trois années qui ont leur importance, car je n'ai pas l'intention d'accepter cet échec comme définitif.

C'est ma première réaction, celle que je communique spontanément à l'éducateur qui vient de m'appeler. Je suis attaché à ce garçon, c'est indispensable; mais il est tout aussi essentiel que je sache convertir cet attachement en démarche éducative. Ainsi je peux professionnellement juger de son évolution et la projeter dans l'avenir. J'ai d'autres points de repère que le sacro-saint mètre-étalon de la réussite sociale. Je trouve que Sylvain grandit bien : parce que sa poignée de main est plus ferme, parce qu'il existe enfin par lui-même et le manifeste jusqu'à désorienter son entourage. Et je sais qu'il lui faut encore du temps pour transformer les années d'hébétude passées en avenir actif.

Lorsque j'ai rencontré Sylvain pour la première fois, il vivait avec son père, de nationalité algérienne, entre son frère Georges qui vient de partir au service militaire et son frère cadet Jocelyn qui vit actuellement dans un foyer de semi-liberté près d'Avignon. Depuis, les conflits avec son père se sont succédé et ont touché les trois adolescents. Ils sont tous partis les uns après les autres, chassés par leur père qui ne les comprenait plus, malgré mes efforts pour l'y aider, et qui a disparu à son tour depuis quelques semaines.

Tous trois n'ont pas connu leur mère, une Française, qui est partie à la naissance du dernier.

Leur père les a élevés comme il a pu, souvent dans des conditions difficiles. Ils ont passé la plus grande partie de leur enfance chez des gardiennes et dans des établissements. C'est ainsi que dans une pension religieuse, Kader, Mustapha et Youssef ont été baptisés respectivement Sylvain, Georges et Jocelyn. A l'adolescence ils ont été rendus au père, vite dépassé tant par les enfants que par les problèmes matériels — il était sans travail et le restera. La situation familiale se dégradait vite, et c'est pourquoi, à la demande du juge des enfants, je suis intervenu, à la suite de conflits et de fugues répétées de l'aîné. J'allais essayer de les aider à vivre ensemble.

Deux ans après notre première rencontre, malgré mes efforts, Sylvain partait à son tour de chez lui, comme l'avait fait son frère Georges pour aller vivre dans ce foyer de jeunes travailleurs. Je continuais à le voir régulièrement et je rencontrais, autant qu'elle le désirait, l'équipe éducative qui en avait la responsabilité (bien souvent sur mon initiative), afin de suivre de près l'histoire de Sylvain et permettre à cette équipe de mieux comprendre ses difficultés. Mais cette équipe, qui visait d'abord la sortie et la mise au travail, ne pouvait guère tenir compte des problèmes réels de Sylvain. On estimait qu'à dix-sept ans, puis dix-huit, « on est adulte et capable... » C'était le même langage que celui du père, qui considérait son fils comme un « bon à rien » et le vouait à l'échec. Le foyer pensait, a priori, que Sylvain pouvait se prendre en charge ; Sylvain, lui, manifestait qu'il ne pouvait pas. C'était comme un dialogue de sourds. Sylvain n'était pas parvenu à faire reconnaître ses difficultés.

L'univers affectif de Sylain est encore si chaotique que ces exigences — autonomie et travail — ne peuvent lui paraître que comme profondément menaçantes. Elles le mènent vers un monde adulte qui réveille toute son insécurité première, celle qui ronge sa vitalité et qui paralyse même ses désirs, pour le river à la sécurité qu'il détient ; celle-ci s'oppose à celle qu'on lui promet et que l'on nomme « son avenir ». Cette règle : pas de travail = pas de foyer, est pour lui impersonnelle, sans résonance intérieure, sans vraie valeur. Sylvain ne pourra en saisir le sens qu'à travers une relation affective avec des éducateurs qui puissent devenir ses partenaires dans la reconnaissance mutuelle que suppose la vie sociale. Il faut donc d'abord que Sylvain commence à exister par lui-même et pour lui-même. Il n'a pu le faire que partiellement, étant confronté trop vite à des situations encore insurmontables (même si elles répondent aux normes de la vie sociale) et il ne pouvait vivre ces situations qu'en victime.

Cela m'a été évident il y a quelques semaines. Alors qu'en voiture je revenais à mon service, j'ai dépassé un inconnu qui marchait sur le bas-côté de la route. J'ai reconnu l'allure de celui qui porte la fatalité sur son dos et n'espère plus rien. En l'observant dans mon rétroviseur, poussé par un vague pressentiment, j'ai cru identifier Sylvain. J'ai fait demi-tour pour m'en assurer. C'était bien lui. Vêtu d'un long manteau sale et trop ample qui lui battait les mollets, ses longs cheveux lui cachant le visage et tombant sur les épaules, il avait tout du clochard. Nous étions en fin d'après-midi; il venait de faire plus de vingt kilomètres à pied pour aller chercher des pièces d'état-civil à la mairie de son lieu de naissance. On l'avait envoyé du foyer faire cette démarche. Il n'avait pas d'argent pour payer le car et son aspect n'engageait personne à le prendre en stop. Il allait en victime, sans rébellion devant cette exigence absurde... Il était triste.

A partir de maintenant, Sylvain peut compter sur moi jusqu'en juillet, date à laquelle la prise en charge AEMO tombera à son tour, du fait de la nouvelle législation sur l'âge de la majorité. C'est une dérogation qui lui laisse encore un sursis de six mois, déjà bien entamé, pour se préparer à vivre seul.

Je reste songeur... Nous avons si peu de temps devant nous. Pourtant je suis déterminé à faire savoir à Sylvain, dans les jours prochains, tout ce que j'espère de lui et à lui confirmer ce qu'il peut attendre de moi. L'avenir est incertain, je ne peux en répondre, mais je désire profondément lui permettre de tirer profit de ces quelques mois.

Je m'étais déjà trouvé dans une situation un peu analogue avec son frère Georges, un an auparavant, mais celui-ci avait pu alors imposer sa présence à son père malgré les conflits. Cela n'est pas possible pour Sylvain, qui ne sait d'ailleurs pas où habite maintenant son père.

Je ne dispose d'aucune solution d'accueil et je n'ai aucun moyen d'en financer une. Je ne sais ni où ni comment il va vivre cette période.

Sylvain connaît les locaux du service d'Avignon, aussi j'avertis le directeur et les secrétaires qu'il y passera peut-être : je demande qu'il y soit bien accueilli et qu'on l'aide à me joindre s'il se présente. Je pense qu'il essaiera bientôt.

Je ne peux qu'attendre, ne sachant où le trouver.

Deux jours plus tard j'apprends que Sylvain est passé au service comme je l'espérais. C'est le directeur qui l'a reçu et me transmet ses impressions. « Sylvain est dans un piteux état, complètement à la dérive. » Son seul désir est de me joindre. Il essaiera demain. En réponse à son appel, le lendemain, je lui fixe rendez-vous en début d'après-midi. A tout hasard, je lui réserve mon temps jusqu'au soir...
Et je retrouve Sylvain pitoyable et très sale. Je ne sais comment l'aborder, tant sa détresse est évidente. Il semble ne plus rien attendre de lui-même et à plus forte raison ne pouvoir formuler un désir, quel qu'il soit... Il ne peut que faire l'inventaire de son dénuement et je n'ai rien de bien précis à lui proposer pour le réconforter, sinon ma présence.

Il n'a plus rien à faire en Avignon, de cela il est sûr; aussi décide-t-il de remonter avec moi là où il a vécu en famille. Il se sentira moins perdu et nous pourrons nous voir plus facilement; autant qu'il le désire et qu'il le faudra, puisque c'est là qu'est mon secteur de travail.

Nous décidons rapidement de partir. Cela nous donnera au moins le sentiment d'agir, et je ressens maintenant avec plus d'acuité celui de me trouver embarqué dans la même galère que Sylvain, sans savoir où cela nous mènera...

Dans la voiture, c'est vite une puanteur insupportable et je dois ouvrir grand les vitres pour me procurer un peu d'air frais. Cela a pour effet bénéfique de me ramener à des réalités de première urgence, alors que Sylvain est recroquevillé dans son coin, aussi gêné que moi. Il faut que je le conduise quelque part où il pourra se décrasser et reprendre figure humaine. J'ai beau chercher, je ne trouve qu'une seule solution : l'emmener chez

71

moi. Sylvain a aussi besoin de manger; pour l'instant ce sont sans doute les seules choses qui comptent à ses yeux. En bifurquant, je lui fais part de mon projet. C'est, je crois, ce qu'il espérait sans oser le demander.

Une fois chez moi, il faut une bonne heure à Sylvain pour récupérer et retrouver un peu goût à la vie. Rassasié, il accepte bientôt de repartir. Il se détend alors, et durant la fin du trajet il évoque, avec un fort sentiment d'échec, ce qu'il a vécu ces derniers temps. Pour l'avenir, il souhaite bien sûr avoir un toit, de quoi manger, et travailler pour se procurer tout cela; mais il ne sait pas comment s'y prendre. Seule certitude : ne pas poursuivre sa vie de clochard.

Je crois qu'en effet l'expérience est suffisante et guère concluante. Cela ne peut le conduire qu'à un vagabondage irrémédiable, pas même à une épreuve utile, car il ne pourra plus s'en sortir, même s'il le souhaite, faute d'endroit où reprendre pied.

Mais je ne sais où loger Sylvain pour ce soir et les jours qui vont suivre. Sylvain, lui, attend ma solution avec confiance, maintenant que j'ai satisfait sa fringale. Ce problème le dépasse. Moi-même je n'y vois pas d'issue... Il nous faudrait trouver une chambre en ville ou une chambre d'hôtel mais je n'ai aucun budget qui le permette et je me demande si une telle installation serait stimulante. Nous envisageons aussi un travail « nourri logé » qui résoudrait tout à la fois, du moins sur le plan matériel; mais il faut du temps pour trouver et il est préférable que ce soit l'aboutissement d'un choix réel de la part de Sylvain, dont les expériences de travail se sont toutes soldées jusqu'à présent par des échecs. Il faut pourtant que nous trouvions quelque chose. Sans solution d'hébergement qui lui permette d'exister quelque part où se recréer un « chez lui », Sylvain ne pourra pas imaginer, ni même avoir l'espoir, d'agir pour lui-même.

C'est en arrivant en ville que je crois tenir enfin la solution qui pourrait mobiliser Sylvain tout en lui assurant un minimum de sécurité ; je lui propose d'aller vivre sous la tente... C'est une idée dont nous débattons joyeusement car elle évoque les vacances, bien que nous ne soyons qu'au mois de mars... Nous allons aussitôt au terrain de camping nous assurer qu'elle est bien réalisable.

Après discussion et à ma demande pressante, le propriétaire accepte que Sylvain s'installe et ne paye qu'à la fin du mois. Puis nous nous mettons à la recherche d'une tente; nous finissons par la trouver dans un internat qui veut bien la lui prêter, si je m'en porte garant. Ils y ajoutent, avec gentillesse, un matelas pneumatique, un duvet, et deux couvertures qui ne seront pas de trop car il fait encore très froid. Sylvain peut disposer de ce matériel durant deux mois. Voilà qui va nous permettre d'envisager l'avenir plus sereinement.

Bien qu'il ait plu une grande partie de la journée, nous avons la chance de bénéficier d'une éclaircie. Ce rayon de soleil nous permet de monter la tente dans de bonnes conditions, avec un moral tout neuf. La perspective d'une vraie nuit stimule Sylvain qui n'en espérait pas tant, au souvenir des nuits blanches passées à arpenter le macadam de la grande ville endormie. Il a hâte de se glisser dans ses couvertures... aussi, je le quitte vite. Nous nous verrons demain pour envisager la suite.

Après cette longue nuit réparatrice dont il avait bien besoin, j'établis avec Sylvain un « contrat de survie » en lui précisant que mon service n'a aucune ressource financière prévue à cet effet. Vis-à-vis de ce même service, il doit considérer pour le moment ce que je lui avance comme un prêt, dans la mesure où il aura la possibilité de le rembourser lorsqu'il travaillera; à moins que, de mon côté, je parvienne à trouver l'organisme qui voudra bien financer ces dépenses que je réduis au strict minimum.

Nous convenons de trente francs par semaine pour sa nourriture, et de quoi acheter quelques objets de première nécessité.

Cette somme devrait permettre à Sylvain de ne pas mourir de faim... Puis il faudra payer soixante-cinq francs de camping à la fin du mois, auxquels viendront s'ajouter les frais occasionnés par les démarches administratives indispensables pour mettre ses papiers en règle : certificat de nationalité et carte d'identité. Pour que Sylvain se sente tout à fait à l'aise et soit présentable, il lui faut maintenant des vêtements propres. Nous décidons d'aller au Secours catholique, qui a vocation d'en donner. Après avoir hésité à l'y envoyer seul, je décide de l'accompagner.

C'était bien nécessaire; il n'aurait jamais osé : l'accueil est rude pour les Algériens qui attendent leur tour. En patientant dans le couloir, je m'absorbe dans la lecture d'une grande affiche sur laquelle on peut lire en lettres majuscules : « Les dames qui sont ici, le sont par amour du prochain; c'est un travail pénible, non rémunéré, uniquement bénévole, fait par charité envers le prochain. Vous êtes donc priés d'être d'une extrême correction. »

Puis vient notre tour; ma présence facilite les choses, sans pour autant éviter un questionnaire en règle. Ces « dames » équipent très gentiment Sylvain de pied en cap, allant même jusqu'à lui donner un costume pour les dimanches.

Pour sortir de la situation de vagabondage et entrer dans la légalité, Sylvain doit aussi se décider à faire établir ses papiers d'identité. Nous en avons déjà souvent parlé mais il se heurte à un problème insoluble, à un choix qui le déchire. Il tient à son père de nationalité algérienne et qui n'accepte pas que ses fils choisissent d'être français; mais il ne veut pas être algérien.

L'Algérie est un pays qu'il ne connaît pas : il veut vivre en France, là où il est né et bien qu'il ait tant de mal à s'y faire une place. Sylvain voudrait concilier l'inconciliable, mais du fait qu'il est majeur il doit choisir une des deux nationalités. Cela ne l'engage d'ailleurs qu'en partie, car il ne peut faire un choix définitif qu'après son service militaire.

Georges, son frère aîné, a choisi la nationalité française en partant pour l'armée. Je m'étais longuement battu avec les administrations compétentes afin de lui obtenir un « certificat de nationalité française » dont il avait besoin pour se faire recenser. Georges avait bien essayé de faire ces démarches par lui-même mais sans résultat, malgré son bon droit; il n'avait pu se faire entendre.

A cette époque Sylvain avait fait un choix identique et avait tenté alors d'obtenir des papiers d'identité. Je lui avais donc fait parvenir au foyer de jeunes travailleurs ce fameux certificat de nationalité française auquel il pouvait prétendre comme étant né en France. Je connaissais maintenant la filière, après mes démarches pour Georges, et ce fut plus rapide.

Je pensais qu'il était simple pour Sylvain d'obtenir avec ce certificat une carte d'identité au commissariat. Comme à cette époque il était encore au foyer, je le lui envoyai afin qu'il s'en occupe avec l'aide de ses éducateurs. Ceux-ci commencèrent par lui demander d'y aller seul mais, à la suite d'échecs répétés, l'une des éducatrices décida de l'accompagner : Sylvain, encore une fois, était incapable de se débrouiller... En fait c'était là encore pour lui une « démarche impossible ». Les gendarmes constatèrent que Sylvain à dix-huit ans n'était pas encore en règle, et sans autre considération, ils le mirent tout simplement au « bloc » jusqu'au lendemain matin, malgré les protestations de son accompagnatrice.

C'est l'histoire que me raconte Sylvain alors que nous sommes à la mairie pour obtenir son extrait d'acte de naissance. Il est surpris de mon air incrédule. Je me demande effectivement dans quelle machination il est tombé, ou s'il n'a pas mal compris ce qui se passait.

Munis des papiers nécessaires, nous nous rendons ensuite au commissariat où je suis bientôt persuadé que son histoire est tout à fait plausible : Sylvain seul n'aurait en effet rien obtenu et je vais devoir m'imposer à sa place. Selon le gendarme bienveillant et en vertu de la « consigne », Sylvain ne peut prétendre à une carte d'identité s'il n'a pas de domicile fixe. Je dois discuter longuement avant qu'il appelle un collègue à la rescousse, puis accepte de téléphoner à une instance supérieure qui veuille bien reconnaître son installation au camping comme domicile provisoire, quitte à modifier l'adresse par la suite.

Sylvain allait enfin pouvoir exister légalement.

Comment un adolescent dans ces conditions difficiles peut-il se prendre en charge, alors qu'il est rejeté dans toutes ses démarches?

Comment peut-il se faire une place dans une société qui lui répète en écho qu'il n'existe pas pour elle?

Comment lui dire que cette place dépend de sa volonté, de son travail, de ses désirs, alors que ses démarches restent toujours vaines?

Sylvain s'habitue progressivement à sa nouvelle situation, il a le sentiment qu'il se passe dans l'immédiat quelque chose qui le concerne. C'est l'impression que j'ai en le retrouvant aujourd'hui au terrain de camping : « chez lui ».

Après ces quelques jours de récupération et d'organisation, Sylvain se soucie d'un travail et nous en parlons. Il reprend espoir et suffisamment d'assurance pour émettre un choix professionnel qui lui tient à cœur, mais qu'il sait difficilement réalisable : s'occuper d'animaux, et, si possible, de chevaux.

C'est un vœu que Sylvain avait déjà exprimé au foyer. Son éducateur était parvenu, avec bien du mal, à lui trouver un emploi de garçon d'écurie dans un ranch. L'expérience a duré deux mois et Sylvain, comme nous, a cru à la réussite; malheureusement les conditions de vie étaient trop difficiles sinon désastreuses. Il dormait dans l'écurie et mangeait surtout des sandwichs préparés à la hâte : son salaire était de 50 F par semaine les deux premiers mois. Il devait être augmenté quand, découragé, il s'est fait mettre à la porte... Le foyer n'avait pu lui aménager de meilleures conditions de vie.

Sylvain me raconte qu'à cette époque le patron lui avait donné un chien, qui était vite devenu un compagnon inséparable; mais il n'avait pu obtenir l'autorisation de le ramener au foyer. Très triste, il me dit comment il avait dû faire pour le quitter; très fier aussi que ce soit si difficile, son chien lui prouvant ainsi l'attachement qu'il lui portait.

Sylvain avait évoqué un peu de la même façon, il y a quelque temps, le souvenir d'une brebis qu'il avait élevée au biberon lors de l'un de ses passages dans un autre établissement; elle le suivait où qu'il aille, de préférence aux autres garçons... il en était très touché.

Entre-temps, c'est un maréchal-ferrant qui m'avait confirmé ce don de compréhension et d'attachement du garçon à l'égard des animaux. J'étais allé voir Sylvain au ranch où il travaillait alors et je les avais trouvés tous deux à l'ouvrage sur un cheval récalcitrant. J'étais impressionné et me tenais à distance pour ne pas troubler ce moment d'intense activité. Le maréchal-ferrant taillait la corne et rougissait le fer qu'il ajustait en l'essayant de temps en temps sur la base du sabot, dans un nuage de fumée et une odeur suffocante. Sylvain, arc-bouté, bloquait le pied du cheval des deux mains à l'aide d'une large courroie de cuir qui lui ceinturait le torse. Il était en lutte avec l'animal inquiet qui voulait lui échapper et il tentait de le calmer, la tête au contact du garrot, rythmant ses efforts d'interjections apaisantes.

J'avais goûté, en cet instant, l'intelligence de cet adolescent, la vitalité insoupçonnée dont il témoignait et que j'admirais maintenant. Ce sentiment, l'homme de l'art le partageait et me le confiera après l'écart brutal du cheval qui venait de se libérer et dont Sylvain avait adroitement évité la ruade.

Attaché à tous ces bons souvenirs, Sylvain veut s'occuper de chevaux, de chiens ou de moutons.

C'est un souhait que maintenant je peux comprendre.

Au bureau, où Sylvain vient me trouver régulièrement, nous sommes suspendus au téléphone, à suivre toutes les pistes possibles et imaginables pour tenter de satisfaire son désir. C'est la seule motivation qui le stimule, le seul intérêt auquel il parvient à rattacher la notion de travail. C'est comme cela qu'il veut travailler; il faut le lui permettre.

Les jours passent vite... J'essaye de faire participer Sylvain aussi souvent que possible à cette recherche, en lui demandant de venir me voir à des heures que nous fixons ensemble. Ce n'est qu'à travers ces rencontres qu'il peut manifester de l'intérêt pour son avenir. Je ne peux lui en demander plus.

Pourtant aujourd'hui, en le quittant, je lui ai recommandé d'utiliser son temps libre pour chercher lui aussi du travail. C'est une absurdité, et j'en ai pris conscience au moment même où je lui formulais ce souhait...

Il est impensable que Sylvain, seul, parvienne à trouver un travail. Je le sais pourtant bien : c'est lui demander à nouveau l'impossible. Moi-même, malgré les moyens dont je dispose et mon expérience dans ce domaine, je risque fort de ne pas aboutir. Je pense qu'il faut « en vouloir » terriblement et être bien solide à dix-huit ans, pour affronter avec succès les démarches de la mise au travail dans cette période de chômage intensif. Ce sont très souvent les parents et les relations qui permettent d'y arriver. Je reviens vite sur ma demande impulsive, motivée en réalité par la crainte de ne pas arriver à trouver le travail qu'il souhaite; et je m'en explique pour lui permettre de comprendre ma réaction.

A ce contexte économique difficile, à ses aptitudes limitées, s'ajoute pour Sylvain le handicap de ses origines algériennes. Son nom ne peut tromper personne; les réponses que j'obtiens au téléphone sont sans ambiguïté. Ma présence rassure un peu et protège tout de même le garçon, mais il arrive, malgré tout, qu'il entende en direct certaines réactions d'employeurs éventuels ; Sylvain tient l'écouteur et reçoit de plein fouet les objections qui ponctuent nos conversations quand mon interlocuteur comprend qu'il s'agit d'un jeune Algérien.

Après une bonne trentaine d'appels téléphoniques et quelques démarches, nous faisons nos dernières tentatives et épuisons nos dernières espérances... Nous avons fait le tour des ranchs du département ; il n'y a pas de travail — peut-être à la période estivale —... Nous avons sollicité des propriétaires de chenils, puis des éleveurs d'animaux de toutes sortes sans plus de résultat. Cela nous a conduits sur des pistes multiples qui n'ont abouti à rien. Avec l'aide d'une assistante sociale, nous avons fait des demandes au syndicat des ovins, mais sans succès.

Nous allons ensemble rencontrer le directeur de la main-d'œuvre, que je connais. Il n'a rien à nous proposer dans le domaine où nous cherchons, mais c'est maintenant la période où les entreprises d'expédition de fruits et légumes vont reprendre leurs activités. Il téléphone à deux d'entre elles qui se méfient en apprenant que le garçon est accompagné d'un éducateur ; si Sylvain veut les voir, qu'il vienne seul... On lui remet deux fiches avec les adresses.

Sylvain va faire ces démarches sans enthousiasme et ne m'en dira pas grand-chose. De toute façon, je ne le crois pas capable de s'imposer dans un premier contact, d'autant qu'il ne doit pas être le seul à « quémander du travail ». Sylvain actuellement ne peut s'affirmer et demander quelque chose que s'il se sent d'emblée bien accepté.

Nous avons maintenant épuisé toutes nos possibilités de recherche dans le secteur choisi par Sylvain. Je le lui dis. Il est déçu, mais accepte d'envisager autre chose en attendant... Il se rend compte des efforts que nous avons déployés ces derniers jours ; cela lui permet d'évoquer d'autres secteurs d'activités. Son choix se porte sur la peinture, en souvenir d'un stage qu'il avait fait dans cette branche il y a quelque temps et où il avait réussi. Nous téléphonons à nouveau dans tous les azimuts et commençons, là aussi, à désespérer quand enfin nous parvient une réponse positive. Avec l'accord de Sylvain, un rendez-vous est pris pour le lendemain soir avec cet employeur éventuel. C'est le premier espoir concret depuis quinze jours, bien qu'il ne corresponde pas vraiment au désir du garçon. Nous convenons de nous retrouver au bureau pour effectuer cette démarche ensemble. Avant de laisser partir Sylvain, je lui parle de sa tenue et de l'entretien de ses affaires. C'est un point qu'il a tendance à négliger. Je tiens à lui dire ce que j'attends de lui à ce sujet. Peut-être m'est-il possible d'amener Sylvain à adopter en partie les exigences du monde du travail sur ce point. Maintenant je peux souhaiter qu'il change, l'ayant d'abord reconnu et accepté tel qu'il est. Et il changera s'il se sent le pouvoir et le désir d'en décider sans appréhender qu'un refus ou un échec de sa part ne vienne mettre en cause l'intérêt et l'affection que je lui porte.

J'essaie aussi de trouver une solution financière à la situation actuelle de Sylvain.

La majorité à dix-huit ans est une perspective dynamique, appréciée de la plupart des jeunes, sauf de ceux qui, comme Sylvain, se débattent seuls et sans soutien familial dans de multiples difficultés personnelles et sociales. C'est alors un handicap supplémentaire, car ils se retrouvent sans aucune ressource, livrés à l'inexpérience et au découragement, face à la dure réalité de la vie.

J'ai alerté la Direction de l'action sanitaire et sociale pour exposer le problème de Sylvain et les difficultés, sinon l'impossibilité, d'exercice d'une AEMO dans de telles conditions matérielles. L'inspecteur de l'Aide à l'enfance m'a renvoyé au juge des enfants et au texte de loi sur la nouvelle majorité, aménagé pour ceux qui sont dans la situation de Sylvain :

« Jusqu'à l'âge de 21 ans, toute personne majeure ou mineure émancipée, éprouvant de graves difficultés d'insertion sociale, a la faculté de demander au juge des enfants la prolongation ou l'organisation d'une action de protection judiciaire. » L'AEMO est l'une de ces actions de protection; elle est maintenue.

« Les frais de ces mesures incombent à celui qui les a sollicitées, sauf la faculté pour le juge des enfants de l'en décharger en tout ou partie. Les dépenses non supportées par le bénéficiaire de la mesure sont imputées sur le budget du ministère de la Justice. » Je me suis alors adressé au juge des enfants qui a déjà décidé de l'AEMO et qui la maintient actuellement jusqu'en juillet.

Après délai de réflexion et discussion avec les services compétents de son ministère, le juge des enfants m'a fait savoir que seul le financement lié à la mesure d'AEMO était prévu; c'est-à-dire le financement habituel, strictement éducatif, sans possibilité de prise en charge financière des conditions de vie de l'adolescent.

Il n'existe donc aucun moyen financier qui permette à des jeunes majeurs — ou mineurs si cela est souhaitable —, de vivre leur propre expérience en milieu naturel. Seules les structures d'accueil, internats ou foyers, sont habilitées à les recevoir et financées en conséquence sur décision du juge des enfants, à la demande de l'intéressé.

Est-ce toujours une solution bien adaptée que de maintenir un jeune de plus de dix-huit ans dans ces structures? Dans le cas de Sylvain, que son expérience de vie au foyer n'a pu conduire à sa propre prise en charge, je sais qu'il vivrait une nouvelle tentative de ce type comme la précédente; si tant est que je puisse en trouver une et qu'il veuille bien s'y prêter.

Sylvain a besoin d'autre chose. Ses conditions de vie actuelles, difficiles, semblent lui apporter davantage, parce qu'il peut à la fois en être responsable et se sentir suffisamment en sécurité, grâce au soutien affectif et matériel qu'il trouve auprès de moi. C'est à travers cette sécurité minimum que Sylvain peut mesurer son dénuement, le sentiment que ses difficultés sont bien comprises et les efforts qu'il doit fournir pour se prendre en charge. L'« autonomie forcée » du foyer confirmait au contraire son sentiment d'abandon. Il ne pouvait la vivre de façon bénéfique, ni comprendre le « bien qu'on lui voulait », alors que la réalité faisait qu'il était mis dehors; on lui retirait du même coup le confort et la sécurité auxquels il tenait.

Durant ce mois, j'ai dépensé pour Sylvain la somme de 300 F; il en aurait fallu au minimum dix fois plus à l'État pour le faire vivre dans une structure d'accueil. D'un strict point de vue financier, l'opération entreprise ne peut être qu'avantageuse.

Il serait bon que le législateur prévoie l'éventualité d'une prise en charge financière en milieu ouvert, qui permette à certains jeunes de vivre l'expérience de leur majorité de façon très autonome : dans une chambre en ville par exemple, en s'organisant avec un budget, même minime, qui leur permettrait de manger, de s'habiller, de se loger et de chercher du travail, cela restant un dépannage qui aurait le mérite, dans un certain nombre de cas, d'être plus stimulant qu'une structure d'accueil.

C'est ainsi que les difficultés surmontées pour permettre à Sylvain de survivre confirment notre sentiment de vivre une expérience importante et renforcent notre confiance mutuelle.

Cet aspect positif ne résout pas l'impasse financière dans laquelle je me trouve; en réponse à mes démarches pressantes, il n'y aura de prise en charge financière ni par la Direction de l'action sanitaire et sociale, ni par le ministère de la Justice.

Dans l'immédiat, je dois avancer cet argent. J'en ai parlé à mon directeur de service qui me remboursera dans toute la mesure du possible, mais il ne faudrait pas que cette situation dure trop longtemps et que pareille nécessité arrive en même temps à l'un de mes collègues. Notre budget ne le supporterait pas.

Ce soir, Sylvain doit aller chez ce peintre qui paraît d'accord pour l'embaucher. Il m'attend comme convenu, ayant tenu compte de mes exigences de propreté qui vont lui permettre de se présenter dans de bonnes conditions. Et c'est sans difficulté que nous trouvons l'entreprise de peinture, à quelques centaines de mètres du camping.

Le patron nous reçoit rapidement et propose à Sylvain un travail à l'essai pendant une quinzaine de jours avant une embauche définitive et déclarée, « s'il fait l'affaire ». Son salaire sera le SMIC pendant cette période. Les horaires sont exigeants, d'autant qu'il y aura deux jours fériés dans les semaines qui suivent : il faudra rattraper le temps perdu... Le travail commence à 6 h 30 le matin jusqu'à 12 h pour reprendre de 13 h 30 jusqu'à 18 h. Sylvain accepte ces conditions.

Je note qu'il n'est pas très à l'aise au cours de cette entrevue; il essaye pourtant, comme il peut, de répondre aux questions du patron mais son émotivité le submerge vite et il perd alors tous ses moyens.

Au retour, Sylvain est soulagé que l'épreuve soit terminée et content de cette perspective de travail. En le raccompagnant j'essaye de savoir comment il compte s'organiser pour être prêt au début de la semaine prochaine, précisant que je ne le reverrai pas d'ici là. Sylvain prévoit mal le futur et je dois l'y aider, l'essentiel étant qu'il puisse se réveiller le matin; il m'affirme d'ailleurs qu'il a le sommeil plutôt lourd. Nous convenons donc de la nécessité absolue d'acheter un réveil sans lequel il n'a aucune chance d'être à l'heure. Après cet achat nous passons au bureau où je lui remets l'argent nécessaire à sa nourriture pour la semaine suivante, et de quoi acheter un rasoir mécanique dont il commence à avoir bien besoin. J'ai augmenté son budget car Sylvain va travailler et aura besoin de toute son énergie; je lui remets cinquante francs au lieu des trente habituels...

Nous nous quittons après avoir réglé les derniers détails. Nous devons nous revoir dans le courant de la semaine prochaine, un soir, après son travail. Sylvain semble satisfait de tous ces préparatifs; de plus le week-end qui s'annonce le met en joie : il doit revoir son frère aîné qui est militaire et viendra en permission; n'en n'ayant plus de nouvelles depuis trois mois, il attend beaucoup de cette rencontre.

Je frappe en vain à la porte de chez les Béranger; il est vrai que je ne les ai pas avertis de mon passage.

Comme je suis dans l'une des deux cités qui jouxtent le terrain de camping où se trouve Sylvain, je décide, en attendant le retour de cette famille, d'aller dire bonjour à celui-ci. Il se fait tard, Sylvain doit avoir terminé sa journée de travail.

La nuit est complètement tombée maintenant et je pars à pied, tranquillement, profitant de ce moment de délassement imprévu. Au camping, j'ai d'abord l'impression de m'être égaré, ne parvenant pas à trouver la tente de Sylvain à sa place habituelle. Ce sont des campeurs voisins qui me renseignent et m'expliquent qu'il est allé s'installer ailleurs. Ils m'indiquent approximativement dans quel coin.

Je le trouve enfin, assis à l'entrée de sa tente, grignotant un morceau de pain dur. Il m'explique qu'il a déménagé pour pouvoir lire le soir : ici, il est au pied d'un réverbère, et il peut bénéficier gratuitement de sa faible lumière.

Puis, très vite, Sylvain reste sans rien dire et semble gêné; alors, je sais que quelque chose ne tourne pas rond. A l'observer avec plus d'attention, je remarque l'absence de traces de peinture sur ses vêtements. Saisi d'un mauvais pressentiment je l'interroge sur son travail, désireux avant tout de savoir ce qu'il en est. Sylvain m'avoue rapidement ne pas être allé travailler : il ne s'est pas levé, et cela malgré son réveil!

Comme je m'étonne qu'il ne soit pas passé m'en avertir — nous aurions pu téléphoner à l'entreprise et essayer d'arranger cela pour le lendemain — je pense au passage de son frère Georges ce dernier week-end. Je n'ai pas l'impression que Sylvain ait négligé de m'avertir mais plutôt qu'il n'a pas osé, et sans doute pour d'autres raisons que son travail manqué; cela, je crois qu'il me l'aurait dit.

Qu'est-il arrivé ce week-end?... Et puis, Sylvain n'a visiblement pas utilisé de rasoir malgré l'argent que je lui avais remis pour en acheter un. Comme je lui en demande la raison, il reconnaît qu'il n'a rien acheté; il n'avait plus de quoi. De fait il ne lui reste plus rien. C'est tout son argent de la semaine qu'il a donné à Georges, qui n'en avait plus pour prendre son train et rejoindre sa caserne. Sylvain m'explique cela la tête basse, coincé, tapant du pied sur l'un des piquets de la tente. Il se replie sur lui-même, « moralement » les bras sur la tête comme pour se protéger des coups à venir et laisser passer l'orage. Il ressent, bien sûr, ma déception et je la lui dis : « C'est une occasion de travail perdue, c'est de l'argent qui va lui manquer, comment fera-t-il pour se nourrir jusqu'à la fin de la semaine? Je connais bien Georges, il pouvait se débrouiller sans venir le "taper "! »

C'est ma première réaction, qui souligne dans quel pétrin il s'est fourré, et je crois qu'à travers elle Sylvain ne peut pas ignorer que je suis très inquiet de sa situation à l'issue de ce week-end. Ce qui lui arrive me tient à cœur; c'est la raison de mon « engueulade », qui reste, je l'espère, suffisamment chaleureuse et compréhensive. Je dois éviter que Sylvain ne la ressente comme une rupture ou un rejet, mais plutôt comme un point d'appui pour l'avenir — comment allons-nous faire? —, comme une façon d'aller au-delà de l'événement, de lui permettre d'en imaginer la possibilité dès maintenant et de lui en donner l'envie en sachant bien que je suis toujours à ses côtés.

Mais ma déception est bien réelle aussi, et je mesure à cela tout l'intérêt que j'ai pris à ce garçon au cours de ces dernières années et plus particulièrement ces derniers temps dans ces circonstances particulières.

C'est, je crois, le désir de comprendre allié à ce que j'ai d'expérience professionnelle qui vont m'aider à analyser mes réactions au fil de cet entretien. Maintenant que je connais mieux mes propres sentiments, je peux me dégager progressivement de mes émotions immédiates pour m'intéresser à celles de Sylvain et chercher en quoi cette expérience lui a été nécessaire et comment elle peut lui être utile.

Je ne lui demande pas de m'expliquer; je sais qu'il ne sait pas lui-même ce qui lui arrive. Ce ne sont pas ses conditions de vie qui ont été les plus importantes dans son choix, mais ses émotions et l'image qu'il a de lui-même. C'est à ce niveau qu'il est important d'aider Sylvain à mieux se comprendre.

Je connais, dans d'autres circonstances, son intérêt pour ses frères et le pouvoir affectif qu'ils ont sur lui. Ils peuvent lui demander ce qu'ils veulent...; Sylvain est prêt à tout pour un moment de connivence, une invite à sortir avec l'un ou l'autre. Tous deux, par contre, le considèrent comme un « paumé », l'utilisent comme tel et ne s'en préoccupent guère. C'est toujours Sylvain qui, du temps où ils vivaient tous à la maison avec le père, faisait des tâches ménagères « monnayées affectivement » par tous : il avait fini par ne plus exister qu'à travers elles.

Aujourd'hui, c'est bien toute la malheureuse histoire affective de Sylvain qui resurgit brusquement à l'occasion de cet incident. Il attendait la venue de Georges comme un événement et s'est fait déposséder pour payer ce week-end en famille.

C'est de cette histoire douloureuse que je parle maintenant avec lui en essayant de lui dire combien je comprends l'importance de ce moment privilégié passé en compagnie de son frère, sans pour cela ignorer de quel prix il a dû le payer. J'accepte donc son choix comme primordial mais ce sera dur pour lui de subsister jusqu'à jeudi, jour auquel son frère doit en principe lui rendre son argent. Je n'y crois pas; mais Sylvain, je le sais, attendra ce jour pour s'apercevoir que Georges agit uniquement par intérêt personnel, sans se soucier de lui...

Bien plus que les conséquences immédiates dont je lui ai fait reproche tout à l'heure, c'est ce qu'il vient de vivre avec son frère qui touche Sylvain et éveille son intérêt.

Avant de partir je lui demande d'essayer quand même d'aller travailler demain; peut-être le patron acceptera-t-il de tenter un nouveau départ. Mais j'ai l'impression que Sylvain est bien trop accaparé par ses difficultés personnelles pour risquer actuellement une telle démarche. Il lui faut le temps de comprendre en quoi il est à nouveau victime de ces derniers événements et dans quelle mesure il a oublié de se choisir. Je retourne bientôt dans cette cité, premier objectif de ma démarche. J'hésite à sonner chez ces gens que je voulais voir. Il est tard, je suis trop préoccupé par la situation de Sylvain, j'ai besoin d'un moment de répit... J'irai un autre jour.

Le lendemain, en fin de matinée, comme je dispose de quelques instants avant d'aller déjeuner avec Nathalie, j'en profite pour mettre noir sur blanc l'essentiel de ma dernière rencontre avec Sylvain.

Dans un moment de réflexion, le nez en l'air, c'est justement lui que j'aperçois déambulant sous les fenêtres de mon bureau. Il n'est donc pas allé travailler et a sans doute failli venir me le dire... Il n'entrera pas.

L'heure de mon rendez-vous avec Nathalie est maintenant largement dépassée, je décide de ne pas l'attendre davantage. En sortant, je songe un moment à aller chercher Sylvain. Je suis en train d'y réfléchir en allant prendre ma voiture lorsque Nathalie me rejoint tout essoufflée.

Je penserai plus tard à Sylvain.

Deux jours après, sans nouvelles de Sylvain, je pars faire un tour au camping avec l'espoir de l'y trouver. En sortant de la ville par une ruelle, j'ai juste le temps de l'apercevoir, assis aux côtés de son père, à la porte d'un petit café à clientèle exclusivement algérienne.

Cela fait plusieurs mois que je n'ai plus rencontré M. Ahmed. J'avais appris par Georges, qui avait trouvé porte définitivement close à l'occasion d'une permission militaire, que son père avait été expulsé de son logement faute d'avoir pu en payer les loyers. Depuis, je ne l'avais plus vu et je ne savais pas où il s'était relogé.

Tout au long de ces trois dernières années, nous nous étions rencontrés très souvent et je m'étais efforcé de le soutenir dans son rôle de père en tenant compte autant que possible de ses désirs et de sa situation matérielle difficile. Je l'avais fait en essayant de concilier son « éthique » algérienne et sa façon de vivre avec celle de ses enfants de culture et d'éducation françaises. C'est à propos de l'aîné et du dernier de ses fils que nos bonnes relations se sont détériorées; quand l'un et l'autre ont décidé de vivre d'une manière plus autonome et d'opter pour la nationalité française. M. Ahmed n'a voulu faire aucune concession; il n'a pu supporter ces choix différents des siens et a renié définitivement les garçons, ne voulant plus les reconnaître pour ses fils. Cela avait provoqué des conflits très violents durant cette dernière période, surtout avec Georges dont il avait peur. M. Ahmed m'avait rendu responsable de cette situation; il avait bien compris que c'était aussi grâce à mon intervention, dans la mesure où je tenais compte des désirs de ses enfants, que les démarches d'autonomie de l'un comme de l'autre avaient été possibles. Depuis, il m'avait chassé de ses préoccupations et je ne l'avais plus revu.

Je crois que je dois tenir compte de la démarche de Sylvain et aller le trouver là où il a décidé d'être aujourd'hui : avec son père. J'appréhende un peu cette rencontre qui me semble pourtant nécessaire.

Après les avoir salués, je ne peux plus me faire d'illusions : la discussion sera explosive. Manifestement, Sylvain est allé retrouver son père pour se mettre à nouveau sous sa tutelle; il en a déjà l'attitude. C'est un peu, sur le plan affectif, la suite logique de son week-end passé avec Georges et de sa difficulté à vivre seul.

M. Ahmed m'invite à entrer et, après avoir commandé des cafés, me prend violemment à partie sur cet important problème de nationalité. Il me rend responsable du choix de ses fils et va jusqu'à me reprocher d'avoir trahi ma parole. Je lui rappelle, en vain, que c'est lui-même qui avait décidé et dit à ses fils qu'à leur majorité ils feraient le choix qu'ils souhaitaient. Dans son esprit, à cette époque, la majorité était à vingt et un ans : « c'est une honte d'avoir changé cette loi » qu'il ne veut pas reconnaître. M. Ahmed m'affirme qu'à dix-huit ans passés Sylvain est encore un enfant, incapable d'un véritable choix. Si son fils décide d'être français, alors il sera un traître envers son pays; lui, son père, le reniera à son tour comme il l'a déjà fait pour ses deux autres enfants.

Au fil de notre discussion, le ton monte et nous devenons vite le point de mire des clients, tous algériens, qui se retrouvent dans cet endroit privilégié pour y recréer, sans doute, un peu de l'atmosphère de leur pays. Même les joueurs de cartes et de dominos interrompent leurs parties. Je sens tous ces regards qui m'observent, et c'est inconfortable, pendant que M. Ahmed fait valoir ses droits de père tels qu'il les conçoit. Ce café, où il est chez lui, renforce son ressentiment et le conforte dans son bon droit.

Mais tous ces gens, dont j'appréhendais un peu les réactions, resteront spectateurs de notre longue discussion, sans intervenir une seule fois, dans un silence religieux et attentif où chacun semble soupeser nos propos. A aucun moment ils ne feront savoir qu'ils adoptent les arguments de l'un de nous deux, encore moins qu'ils prennent parti. C'est impressionnant. Je reste très admiratif et reconnaissant du respect qu'ils montrent pour les idées de chacun et mon malaise s'estompe vite.

Depuis que nous sommes ici à nous affronter à son sujet, Sylvain est silencieux. En arrivant, il s'est assis, la tête basse, le front appuyé au dossier d'une autre chaise, le regard rivé à la pointe de son soulier. J'aimerais bien qu'il participe à ce débat qui le concerne avant tout, qu'il existe un peu plus, mais malgré mes tentatives dans ce sens, il n'ouvrira pas la bouche. Il est comme intégré aux spectateurs.

Fort de ma dernière expérience, j'essaye de comprendre plus rapidement les sentiments actuels de Sylvain. Si souvent rejeté par ce même père qui aujourd'hui le réclame, il doit rêver que tout est à nouveau possible... Je le sens prêt, au moindre signe de son père, à « espérer » de lui la vie chaleureuse et rassurante qu'il n'a jamais connue et tant recherchée. Aujourd'hui, il revient comme un « chien battu », sans doute soulagé que je sois là pour essuyer l'orage.

Alors que pourrait-il ajouter à son silence, que je finis par trouver très explicite ? Il ne peut rien dire qui ne soit un choix. Peut-il choisir la vie contre son père... ?

Je sais bien aussi que, malgré moi, je suis dans la situation de celui qui vient disputer Sylvain à son père. Tout cela se vit à d'autres niveaux que le contenu formel de nos discours et je suis encore plus attentif à M. Ahmed qui m'accuse maintenant, contre toute évidence, de lui enlever son fils. Je comprends ainsi qu'au-delà d'une polémique sans issue, il s'agit d'émotions vraies et douloureuses, quand bien même se démarqueraient-elles de la réalité.

Non pas tant à cause de ses origines, que parce qu'il n'a pas réussi à s'intégrer comme il l'espérait dans notre pays, M. Ahmed n'accepte pas notre mode de vie et notre éducation. Ce sont nos lois qui, selon lui, permettent aux enfants d'êtres « les maîtres » des parents. C'est comme cela que ses fils lui ont échappé. S'il avait conservé cette autorité presque absolue du père algérien tel qu'il aurait voulu l'être, sans jamais en prendre les moyens, ses fils seraient devenus les instruments de sa volonté et de ses désirs, pour le servir et le prolonger, au lieu de s'éloigner de lui, jusqu'à renier leurs origines et le rejeter du même coup. Ce père sait maintenant que seul Sylvain peut être récupéré, parce qu'il est le plus désemparé et le plus malléable. Il veut en être le maître et le diriger pour qu'il devienne ce qu'il entend qu'il soit.

J'affirme ses droits de père mais je n'accepte pas qu'il nie les droits de Sylvain à exister par lui-même et à décider de son avenir s'il le veut.

Nous en parlons encore longuement et, bien que la conversation redevienne plus amicale, nous ne pouvons être d'accord. Ce n'est d'ailleurs pas nécessaire, l'important est que nous finissions par exprimer librement des sentiments différents et que M. Ahmed accepte qu'ils le soient. Mais lorsque je le quitte, M. Ahmed confirme sa position; il n'y a pas d'alternative : si Sylvain revient vivre avec lui, il sera algérien et vivra sous sa coupe, dans le cas contraire il n'existera plus pour lui.

C'est bien sûr un contrat irréalisable, et c'est la seule façon pour ce père de se défendre de ne pouvoir assumer son rôle. C'est l'aspect dramatique de la vie de cet homme et de celle de ses fils. M. Ahmed voudrait bien être père sans en porter la responsabilité. Depuis trois ans, je suis à ses côtés pour l'y aider mais il renonce en permanence et se libère de sa charge au moindre problème. Il sait bien que ma présence n'est en aucun cas une autorité qui peut lui disputer ses fils, mais c'est seulement en m'attribuant ce rôle qu'il parvient à satisfaire à bon compte ses droits de père.

Sur le chemin du retour, je pense que cette explication devant Sylvain était nécessaire et bienvenue. Nous avions souvent parlé ensemble de son père; Sylvain essayait de comprendre son attitude et je l'y aidais. Il ne l'avait certainement jamais entendu s'exprimer aussi longuement et complètement; j'espérais que cette discussion allait être décisive et lui permettrait d'être plus lucide sur ses sentiments. C'était plus difficile pour Sylvain que pour ses frères qui étaient plus autonomes et s'étaient réfugiés, à propos du père, dans un profond ressentiment qui les protégeait.

Par hasard, le soir même, je rencontre Sylvain qui revient du camping avec quelques affaires personnelles sous le bras. Il va vivre chez son père pour tenter à nouveau sa chance. J'accepte sa décision et son espoir. C'est sans doute qu'il en ressent la nécessité et cela n'annule en rien notre expérience des deux derniers mois; elle comportait cette alternative. Son choix risque d'être celui de la dépendance et de la soumission, mais son père sera peut-être capable d'aménager plus souplement ses exigences... Dans le cas contraire, Sylvain devra s'interroger à nouveau sur son avenir et peut-être partir encore une fois; mais moins « rejeté » s'il parvient à être plus lucide, c'est-à-dire plus apte à décider. L'essentiel est qu'il sorte grandi de cette « espérance », en sachant qu'il peut venir me trouver pour une nouvelle tentative. Je replace tout cela dans notre discussion de ce matin en lui disant que j'ai bien compris son silence. L'important maintenant est ce qu'il a décidé de vivre.

Avant de nous quitter, je lui donne rendez-vous pour que nous pliions la tente ensemble et ramenions toutes les affaires empruntées à leur propriétaire.

Sylvain ne viendra pas m'aider. Je plie seul la tente dans laquelle je trouve sa carte d'identité. Il s'en est défait pour aller chez son père. Je la garde soigneusement.

Une dizaine de jours plus tard, je reçois une proposition de travail pour Sylvain, en réponse aux nombreuses démarches que nous avions faites précédemment.

Je décide d'aller voir M. Ahmed, à son café habituel, pour lui en parler. Il me reçoit, installé derrière le bar dont il semble actuellement assurer la marche. Nous nous revoyons dans de meilleures conditions que la dernière fois. Il paraît même satisfait de ce que je craignais être une intrusion. M. Ahmed m'offre un café, et très vite se plaint de Sylvain qui l'encombre déjà et ne trouve pas de travail. Tant bien que mal, il l'occupe à refaire les peintures de l'appartement d'un ami chez qui ils habitent tous les deux. M. Ahmed semble regretter de l'avoir pris en charge; c'est pourtant ce qui me fait passer par lui pour transmettre mon information.

Un propriétaire cherche quelqu'un pour garder son troupeau de moutons durant les mois d'été. C'est à une quarantaine de kilomètres d'ici.

Ce travail semblait attirer Sylvain et j'explique à son père comment nous avions fait des démarches ensemble pour essayer de trouver quelque chose de ce genre. Je donne rapidement à M. Ahmed les quelques détails que j'ai pu obtenir sur les conditions de travail, puis je lui laisse le soin d'y réfléchir et d'en parler à Sylvain, s'il le juge opportun. Je reste à leur disposition pour les mettre en rapport avec ce fermier au cas où cette place les intéresserait.

Bien sûr, il faudra que Sylvain parte...

Deux jours après cette conversation, c'est Sylvain seul qui vient me trouver. Il voudrait prendre ce travail qu'il espère depuis longtemps, et, avec un sourire en coin, il m'assure qu'il se réveillera, même très tôt le matin...

Je lui fais remarquer que son père n'est pas avec lui; est-il d'accord? J'ai besoin de quelqu'un de responsable qui décide.

Effectivement, son père ne souhaite pas qu'il fasse ce travail, mais lui en a envie, et pense être capable maintenant d'en décider. Tant pis si son père s'y oppose. Quitte à essuyer un conflit, Sylvain prend le risque d'avoir à partir une nouvelle fois de chez lui.

De toute façon, il me semble que si son père avait voulu exclure définitivement cette possibilité de travail, il ne lui en aurait pas parlé. Puis, Sylvain paraît plus sûr de lui, prêt à prendre cette responsabilité avec plus de maturité après ce séjour chez son père. Enfin, s'il décide de partir, ce sera pour la première fois en l'ayant voulu et en sachant pourquoi. C'est une chance importante que de lui permettre de maîtriser cet événement avant que les tensions avec son père ne tournent à son désavantage.

J'accepte donc d'emmener Sylvain chez ce fermier, puisqu'il le veut et semble prêt à en assumer les conséquences.

Il est près de midi. J'ai une semaine très chargée, aussi je lui propose d'y aller immédiatement; nous avons juste le temps de faire l'aller et le retour avant l'un de mes rendez-vous en début d'après-midi.

En chemin, Sylvain me raconte ses précédentes journées. Malgré les peintures de l'appartement, il s'ennuie et ne s'entend décidément pas avec son père qui n'est jamais satisfait et se montre toujours abusif à son égard.

Mais bien vite, il en revient à notre démarche et fait des projets d'avenir, s'imaginant déjà à la tête de son troupeau. Il voit la vie en rose. J'ai bien peur qu'il ne déchante et je calme un peu son enthousiasme.

Nous arrivons bientôt dans un petit village où nous trouvons, non sans quelques difficultés, le propriétaire du troupeau. Il vient, malheureusement, d'embaucher la veille deux stagiaires d'une école de bergerie. Sylvain est très déçu. Nous restons tout de même à discuter un moment avant de repartir avec l'adresse de l'un de ses amis qui chercherait aussi un « berger d'occasion ».

Nous y allons immédiatement et nous avons la chance de le rencontrer au moment où il s'apprêtait à partir. Il veut bien nous recevoir et nous entendre. Actuellement, il n'a personne pour garder son troupeau mais, lui aussi, attend la venue d'un stagiaire de l'école de bergerie de Salon. Notre proposition l'intéresse tout de même; au cas où ce stagiaire lui ferait défaut, il nous promet de nous avertir en priorité.

C'est un travail pour quatre ou cinq mois seulement. Nourri, logé, blanchi, pour six heures de travail par jour, Sylvain toucherait un salaire de deux cents francs par mois. S'il participe, en plus, aux travaux des champs, ses heures seront payées au tarif du SMIC.

Avant de partir, je note l'adresse de l'école de bergerie. Au retour, nous échangeons nos impressions. Sylvain compte prendre cette place si elle est libre. C'est mal payé mais il veut essayer ce travail. Il s'intéresse aussi à l'école de bergerie. Je lui promets d'obtenir des renseignements pour les lui communiquer.

Nous devons attendre avec patience... Sylvain passera de temps en temps aux nouvelles.

Cela fait une semaine maintenant que nous sommes allés demander cette place de berger, lorsque je reçois un coup de téléphone m'annonçant qu'elle est libre : Sylvain peut monter prendre son travail dès que possible. J'imagine sa joie!

Lorsqu'il est passé la veille, je n'avais pas encore cette réponse; par contre, j'avais pu lui donner les renseignements qu'il souhaitait sur l'école de bergerie. Il s'agit d'une formation sur une année. Aucun niveau scolaire n'est exigé à l'entrée; ce sont les dures conditions de travail qui sont sélectives : il faut en vouloir vraiment pour tenir le coup. La formation est payée comme une FPA (formation professionnelle pour adultes), mais le candidat doit être libéré de ses obligations militaires pour pouvoir en bénéficier, ce qui n'est pas son cas.

Avant toute chose, Sylvain va faire cet essai, qui doit lui permettre de confirmer ou non sa motivation et ses aptitudes, et qui pourra par la suite être validé comme stage, s'il décide d'entreprendre une formation.

C'est tout de même la première fois que je le vois envisager l'avenir. C'est encourageant.

J'annonce dès que possible cette bonne nouvelle à Sylvain qui s'en réjouit, puis nous prévoyons son départ. Je m'inquiète un peu des réactions de son père, mais il semble sûr de lui, décidé à partir malgré ce désaccord qui subsiste. Je l'invite à ne pas couper les ponts, mais plutôt à essayer de faire accepter son départ. C'est bien ainsi que Sylvain a l'intention de partir :

sur la pointe des pieds... toute discussion à ce sujet avec son père s'avérant impossible et tournant à « l'engueulade ».

Je lui raconte ma dernière visite à son frère Jocelyn, au foyer de semi-liberté. Nous avons convenu de déjeuner ensemble, et Jocelyn souhaite qu'il se joigne à nous, comme nous l'avions déjà fait quelquefois auparavant. Sylvain est ravi de cette occasion. En un mois, il aura revu tous les membres de sa famille.

Mon emploi du temps ne va pas lui faciliter la tâche. Je ne pourrai pas l'emmener à Avignon; il devra me rejoindre là-bas par ses propres moyens, prendre le car et laisser ses affaires à un endroit dont nous convenons. Sitôt après le déjeuner, nous partirons chez son futur employeur. Je lui laisse de l'argent pour payer son transport.

Sylvain s'est bien débrouillé; il est à l'heure à notre rendez-vous, et m'assure que tout est prêt pour son départ. Nous allons aussitôt chercher Jocelyn à la sortie de son travail et nous trouvons un restaurant tranquille où déjeuner.

Une fois installés, c'est l'occasion pour les deux frères d'échanger les dernières nouvelles de la famille. Jocelyn se préoccupe, entre autres, des réactions de son père à la suite d'une violente altercation qui remonte aux fêtes de Noël. Cet incident reste très frais dans sa mémoire, autant que dans le souvenir de son père qui m'en a parlé avec véhémence l'autre jour. Il s'assure tout de même des sentiments de celui-ci à son égard auprès de Sylvain, qui ne peut que confirmer ses doutes : ce n'est pas encore maintenant qu'il pourra revenir à la maison, il n'y a d'ailleurs plus de place pour le recevoir... En s'exprimant, Jocelyn ravive ce souvenir pénible et s'échauffe un peu. Tout compte fait, mais dépité tout de même, il décide que c'est préférable ainsi : autant éviter son père, de peur que cela ne tourne mal. Jocelyn craint ses propres réactions s'il est mal reçu.

Puis, il nous raconte sa vie au foyer, qui le satisfait, et Sylvain, de son côté, répond à la curiosité de son frère en parlant de son futur travail, de sa vie au camping et chez son père. Sylvain est pour son frère un interlocuteur valable aujourd'hui et il en profite pour s'affirmer un peu.

Jocelyn, à son tour, évoque son métier. Il est peintre-carrossier, ça lui plaît, et il devient très adroit au pistolet. Le patron lui confie parfois des tâches délicates, lui ayant même demandé, il n'y a pas longtemps, de lui faire un travail personnel.

La conversation se poursuit dans une ambiance agréable. Tout semble bien aller pour tous les deux; ils sont vraiment heureux d'être réunis à échanger leurs impressions.

Cela fait à peu près une année que Jocelyn est dans ce foyer de semi-liberté. Lorsqu'il y est entré, Sylvain était déjà au foyer des jeunes travailleurs d'où il vient d'être expulsé et son frère Georges suivait un stage de FPA. Jocelyn était resté seul quelque temps avec son père et cela n'était pas allé sans quelques conflits. Aussi fuyait-il de plus en plus cette atmosphère familiale tendue. M. Ahmed, de son côté, se retranchait derrière la présence encombrante de Jocelyn, dont il avait la responsabilité, pour expliquer que dans ces conditions, il ne lui était pas possible d'aller travailler au loin. Avant le retour de ses enfants, il partait en effet greffer les vignes en Aquitaine et gagnait bien sa vie en quelques mois seulement. Aussi, c'était essentiellement pour lui permettre de reprendre ce travail qu'à sa demande, et avec l'accord de Jocelyn, le juge des enfants avait placé son dernier fils en foyer de semi-liberté.

M. Ahmed se retrouvait à nouveau seul et pouvait partir travailler comme il le souhaitait. Je l'ai souvent rencontré à cette époque pour l'aider à faire cette démarche. Il a ressorti ses vieux outils, mais n'a jamais pu repartir... prétextant son âge, la fatigue, le découragement. C'était sans doute trop tard, il n'y croyait plus.

Puis il eut l'idée de monter un petit café-restaurant avec des amis. A sa demande, je l'ai conseillé autant que j'ai pu, mais son affaire n'était pas très claire... Toujours est-il que son projet est vite tombé à l'eau. Je crois d'ailleurs qu'il se faisait rouler. Trois mois plus tard, Jocelyn revenait passer les vacances d'été chez son père. Il était décidé à rester chez lui et trouver du travail. Je l'ai aidé et, non sans difficulté, nous avons trouvé une place chez un maçon. Il abandonnait trois jours plus tard. Je partais en vacances, le laissant sur cet échec.

Avec son père, la situation s'est vite dégradée et Jocelyn, mis à la porte de chez lui à la suite d'un conflit plus violent que les autres, a passé le mois d'août en « vadrouille ». Il s'est réfugié dans une cave, plus ou moins nourri par les « copains » et des voisins compatissants.

Je l'ai récupéré à mon retour de congé, avant les gendarmes, pour l'amener chez le juge des enfants qui le faisait rechercher. Celui-ci prenait alors la décision de le placer à nouveau dans ce foyer. C'était nécessaire et Jocelyn l'a bien compris ainsi.

Notre repas se termine. Je les invite à venir prendre le café dans une petite salle à côté du restaurant.

Tous les deux m'interrogent à nouveau sur les démarches à faire pour prendre la nationalité française. Sylvain raconte à son frère les violentes réactions de leur père à ce sujet et Jocelyn réagit beaucoup à ce problème : « Je suis français, pas algérien... »

Je leur explique ce qu'on entend par nationalité et par race, en leur faisant comprendre pourquoi on ne peut modifier sa race : ils seront toujours de père algérien et de mère française. Jocelyn, surtout, se sent très dévalorisé d'être pour moitié algérien et de passer pour tel.

En réalité, ils ignorent tout du monde arabe et plus particulièrement de l'Algérie; pire, ils en ont une représentation totalement erronée. Ce qu'ils en connaissent, c'est d'abord à travers les problèmes et les difficultés qu'ils ont vécus avec leur père algérien. Celui-ci personnalise une autorité fruste et sans nuance, faite d'absolus, qui tient essentiellement au fait qu'il n'est pas très heureux et qu'il est durement marqué par une existence difficile. J'essaye de leur dire comment il a dû s'adapter et lutter pour s'en tirer vaille que vaille. Le résultat est peut-être mauvais, mais il a quand même tenu et réussi à s'occuper d'eux jusqu'à présent. Et puis, ils sont français par leur mère qu'ils n'ont pas connue. Partie à la naissance de Jocelyn, elle est évoquée parfois en des termes violents par leur père, à tel point que Georges, à une époque, avait dans la tête de la venger... C'est au sujet de l'un et l'autre de leurs parents que leurs origines leur posent des problèmes.

Ensuite, en dehors de leur père, ce qu'ils savent avant tout de leur race, c'est ce qu'ils ressentent à travers les Algériens qui viennent en France pour travailler, et qu'ils voient maltraités.

J'évoque le « marché aux Arabes », comme on le désigne ici, quand, à la saison des fruits et des primeurs, on les voit faire la queue sur la place pour tenter de se faire embaucher et exploiter à n'importe quel prix. Mais aussi, tous ceux qui cassent des cailloux sur le bord de nos routes et commettent tous nos crimes aux dires de tout un chacun, et à entendre les conversations de bistrot...

Ce sont ceux-là qu'ils connaissent, et dans lesquels ils ne veulent pas se reconnaître : ces « sales Arabes » dans notre bouche, avec notre mépris quotidien.

Je comprends alors leur désir de vouloir représenter autre chose et d'espérer une autre image d'eux-mêmes, et j'essaye de leur dire que cette image valorisante, l'Algérie peut la leur renvoyer. Je leur parle, autant que je puisse le faire, de la civilisation arabe qui a dominé notre monde durant plusieurs siècles, mais surtout de l'Algérie, où j'aimerais bien aller un jour. Ce n'est pas un pays de casseurs de cailloux, mais un pays évolué comme le nôtre, avec ses médecins et ses hôpitaux, ses ingénieurs et ses usines, ses savants, ses grands hommes politiques et son histoire, ses ouvriers, ses journaux... C'est un pays que je leur souhaite de connaître un jour.

J'essaye aussi de leur faire comprendre qu'ils n'ont pas à se dédoubler et faire un choix qui les déchire. Ils peuvent être à la fois de race arabe et européenne et choisir d'être français ou algérien.

J'ai beaucoup parlé. Tous les deux m'ont écouté avec intérêt, mais c'est peut-être un discours bien rationnel pour eux...

Alors Sylvain, pour mieux me suivre dans mes propos, les traduit dans un langage qui le touche davantage, parce qu'il me concerne. Il évoque un souvenir lointain, une rencontre avec ma femme, et mes enfants qui sont de race noire métissée. Il me demande des précisions sur leurs origines, et à travers elles explique les siennes. Il fait des rapprochements avec ses propres choix. Il est probable que cette rencontre, dont il ne m'avait jamais parlé, a dû beaucoup compter dans notre vécu commun.

Nous devons maintenant nous dépêcher pour éviter à Jocelyn d'être en retard à son travail. Cette rencontre avec son frère, Sylvain l'a faite à un bon moment; il y en a eu plusieurs comme cela par le passé, et grâce à ces rencontres favorisées par mes rapports avec l'un et l'autre, j'ai pu voir évoluer l'image défavorable que Jocelyn avait de ce frère « paumé ».

Aujourd'hui, Sylvain avait les moyens de s'imposer un peu plus, à tel point qu'au moment du départ c'est Jocelyn qui propose une prochaine rencontre, malgré la distance qui va les séparer.

Sylvain en est fier. J'essaierai de faciliter ce projet.

Nous laissons Jocelyn et Avignon derrière nous, et, après avoir récupéré ses affaires, nous partons vers Sault en nous faufilant dans les gorges de la Nesque qui évoquent peut-être pour Sylvain, inconsciemment, le chemin tortueux qu'empruntent ses sentiments pour le conduire à mieux savoir qui il est et où il va. C'est de lui qu'il me parle spontanément, en essayant de mieux se comprendre.

Il est heureux, me dit-il, d'avoir passé ce moment agréable

avec son frère et d'être parti de chez son père sans trop de difficulté et sans drame. Il comprend mieux, maintenant, les sentiments de son père à son égard, il en accepte les limites et est décidé à ne pas répondre à tous ses désirs.

Sylvain se trouve « original », ayant l'impression de ne pas réagir comme tout le monde; il se sent prisonnier d'émotions-chocs qui le mobilisent ou, au contraire, le laissent indifférent. Pour mieux se faire comprendre, il m'explique qu'il vit un peu de la même façon que lorsqu'il feuillette un illustré qui lui tombe sous la main. S'il rencontre une image qui éveille en lui une émotion agréable, il s'y accroche et lit l'histoire; mais s'il feuillette cet illustré sans rien ressentir, alors il ne le lit pas et l'abandonne. C'est pour cette raison et de cette façon qu'il ne s'est pas réveillé pour aller travailler en peinture; il se réveillait pour aller s'occuper des chevaux au ranch; il se réveillera pour garder les moutons, même très tôt... Il le sent. Sans cette impression plaisante qui l'accroche, Sylvain n'existe pas.

Et puis, le rêve est son jardin secret; il aime y vivre et s'y complaît. Il m'en donne la clé en me racontant que, lorsqu'il s'endort le soir, les plis de son drap évoquent des chemins qui le guident dans des pays merveilleux où il aime vivre et où il peut être un héros.

Sylvain me dit ainsi, à sa façon, à quelle profondeur il est inquiet, en face d'un monde traumatisant qu'il doit fuir dans ses songes pour survivre. Alors, il retrouve la sécurité d'un monde imaginaire sur lequel il a pouvoir et qu'il sait provoquer pour goûter, à sa manière, au bonheur auquel tout être aspire.

Sylvain peut me raconter tout cela aujourd'hui, avec une grande sensibilité, car c'est l'un des trop rares moments où il peut vivre debout, les yeux grands ouverts sur lui-même et sur ce qui lui arrive, heureux cette fois-ci d'exister comme les autres.

Il lui faudrait encore beaucoup de journées comme celle-ci. D'autres éducateurs et moi-même lui avons ouvert l'accès de telles journées : chaque fois que nous avons pu le rejoindre dans son « univers » pour l'entendre, et chaque fois que nous avons pu lui faire partager notre réalité en la mettant à sa portée.

Ces moments forts dans ma relation avec Sylvain, je les ai construits au fil des années. C'est le temps qu'il a fallu prendre, avec beaucoup d'obstination, pour aller le rejoindre à la charnière du rêve et de la réalité.

La réalité, elle nous attend au bout de notre route, dans ce petit village de Provence au pied du Ventoux. Ce sera la vie quotidienne dans cette famille de paysans, les travaux des champs et la garde du troupeau. C'est avec elle que je laisse Sylvain s'expliquer à nouveau, pour que, de toute façon, et quel que soit le résultat de cette expérience, il s'en fasse une alliée.

Béatrice Adrien

C'est Béatrice qui m'accueille. Elle m'entrouvre une porte derrière laquelle j'ai le sentiment qu'elle voudrait bien disparaître et me tend une main presque inerte sans que je parvienne à croiser son regard. Seul signe de vie, une légère rougeur au visage marque l'émotion du moment. Je lis aussi une grande tristesse, soulignée par des vêtements qui tentent d'effacer toute trace de féminité.

Je suis Béatrice jusqu'au salon où sa mère, Mme Adrien, quittant un instant sa cuisine, vient me saluer et me faire asseoir, avant de s'en retourner très vite à son fourneau.

Ma dernière visite remonte à plus d'un mois. Béatrice, entre-temps, devait passer me voir au « service », ce qu'elle n'avait jamais voulu faire jusqu'à présent. J'avais mis mon téléphone à sa disposition pour joindre l'établissement où elle avait été placée par le juge d'enfants, il y a de cela quelques mois; elle voulait, par ce biais, réclamer des affaires personnelles qu'elle y avait laissées. En la quittant, ce jour-là, j'avais le sentiment qu'elle allait enfin pouvoir entreprendre une démarche personnelle. Pour la première fois, je venais de la voir réagir par elle-même, dans son intérêt propre, en dehors de l'emprise de sa mère.
Mais à l'heure dite, Béatrice n'était pas là.
La semaine suivante, après m'être annoncé par lettre, j'étais passé chez elle sans plus de succès.

Maintenant, dans ce salon, je ressens intensément la gêne que provoque mon arrivée. Après quelques échanges anodins,

Béatrice, mal à l'aise, opère un mouvement de repli pour se mettre à l'abri derrière le chambranle de la porte qui sépare la cuisine où se trouve sa mère, de la salle de séjour où je suis. Je reste presque seul avec le petit frère, une moitié de Béatrice et sa mère dans les coulisses.

J'accepte de mon mieux cette situation tendue, me laissant porter par les bruits familiers de la cuisine qui annoncent la préparation du repas du soir, et ceux de l'enfant qui tente de capter mon attention. Je cherche à me détendre après cet accueil difficile, afin de mieux contrôler les réactions immédiates qui me poussent à savoir et à interroger; il est plus important que la mère et la fille arrivent à parler spontanément. Je décide d'attendre.

Le petit frère de Béatrice s'impatiente. Mme Adrien revient au salon pour s'en occuper. Alors s'installe entre la mère et la fille un étrange dialogue silencieux, mais combien éloquent, fait de regards et de mimiques qui expriment à la fois leur connivence et leur désaccord. J'apprends ainsi qu'il s'est passé quelque chose ces dernières semaines.

A mon étonnement, c'est Béatrice qui se jette brusquement à l'eau.

— Vous allez me suivre pendant combien de temps encore?

Je m'aperçois brusquement que nous nous connaissons depuis six mois et qu'à cette échéance le juge des enfants doit les rencontrer pour décider ou non de la poursuite de l'AEMO. Pour que Béatrice se lance ainsi, c'est que la question est importante et j'y réponds en reprenant ce que nous avions convenu dès nos premières rencontres. Son accord est maintenant nécessaire pour poursuivre l'AEMO, cette période étant suffisante pour que la confiance et l'intérêt mutuel s'établissent ou non.

Béatrice exprime d'une traite sa hâte que tout soit terminé :

— Je n'ai pas besoin d'un éducateur, ça sert à rien, je ne sais pas quoi vous dire.

Quelques mois plus tôt, c'était sa mère qui refusait l'intrusion d'un éducateur, Béatrice s'abritant derrière cette décision. A cette époque-là, et devant un tel refus, notre équipe doutait d'une possibilité d'intervention. Malgré ces réticences, j'avais tenté l'aventure. Il n'y avait aucune autre alternative et je pensais que, dans ce contexte familial, la seule solution d'aide qui puisse être imaginée et tentée ne le serait qu'à partir d'une rencontre entre un éducateur et la famille.

Béatrice vient de me donner brutalement son point de vue. Mme Adrien m'explique de son côté l'atmosphère tendue qu'engendre chacune de mes visites, et tout particulièrement celle d'aujourd'hui : cela tient à Béatrice qui ne veut pas que sa mère parle de ses difficultés; elle appréhende ces rencontres qui risquent à chaque fois de déclencher un dialogue pénible. Mme Adrien me raconte tout cela avec un sourire de satisfaction à travers lequel je perçois le sentiment de puissance qu'elle se donne en racontant sa fille et le malaise que cela provoque chez cette adolescente. Elle m'affirme aussi que Béatrice est incapable de faire une démarche personnelle : c'est pourquoi sa fille n'est pas allée me voir la dernière fois. C'est l'occasion pour cette mère d'affirmer à nouveau son emprise :

— Béatrice n'ira vous voir que si je l'y oblige.

D'autre part, Béatrice n'a rien à lui cacher, tout ce qui concerne sa fille lui appartient, c'est pourquoi, comme elle me l'a dit le jour de ma première visite, ma démarche est inutile et n'a d'ailleurs servi à rien. Elle ajoute pourtant :

— S'il arrive quelque chose à ma fille, je m'en prendrai à vous et au juge des enfants.

Que peut-il bien arriver à Béatrice?

Mme Adrien évoque alors un passé encore récent que Béatrice a vécu très douloureusement : une période de conflits aigus entre elles deux, suivie d'une fugue; un placement en établissement spécialisé sur décision du juge des enfants et à la demande de Mme Adrien qui ne veut plus d'elle, une nouvelle fugue durant les vacances qui suivirent, malgré le placement. Au cours de cette fugue, Béatrice a rencontré une bande de jeunes qui l'ont entraînée en quelques jours à la drogue et à la sexualité. Mme Adrien, alertée, a mis en cause l'Administration sanitaire et sociale qu'elle accusait de n'avoir pas su s'occuper de sa fille et même de l'avoir conduite à ces extrémités... Elle a alors exigé de la récupérer sans pouvoir lui pardonner, au nom de la morale. Puisque le mal est fait, elle pense que « Béatrice ne risque plus rien et ne pourra faire pire avec elle... ».

Depuis, Béatrice vit chez elle sans jamais sortir, se raccrochant désespérément à cette mère qu'elle exaspère et qui ne la veut pas ; situation d'autant plus dramatique pour elle que cette famille n'est la sienne que par sa mère. Son père est parti lorsqu'elle avait quatre ans et Mme Adrien vit depuis cette époque avec un autre homme qu'elle ne m'a jamais autorisé à rencontrer, dont elle a eu deux enfants, une petite fille de huit ans et un petit garçon qui en aura bientôt trois.

Béatrice se sent exclue et ne sait plus que faire pour plaire à sa mère qui exprime violemment ses sentiments hostiles :

— J'en ai ras-le-bol de Béatrice... elle me gonfle... la semaine dernière, je ne pouvais plus la supporter, je l'ai mise à la porte toute la journée de dimanche pour qu'elle dégage.

Je comprends qu'elle avait dû être à bout pour en arriver là. Je le lui dis, en ajoutant que si elle l'avait souhaité, elle aurait pu venir m'en parler lundi matin ; je l'aurais peut-être aidée à mieux supporter cette situation difficile. Mais Mme Adrien refuse d'être impliquée dans cette affaire :

— Ce sont les problèmes de Béatrice, pas les miens ; je n'ai rien à dire, je n'ai pas besoin d'aller à confesse... d'ailleurs, vous ne m'apportez aucune solution concrète.

Ses réactions témoignent d'une inquiétude et d'une culpabilité profonde que Mme Adrien essaye de nier, comme elle tente de nier l'utilité de ma présence. Je supporte son agressivité dans la mesure où j'en connais la signification et comprends la nécessité pour elle de se défendre contre ses propres émotions qu'elle parvient pourtant, par-delà son agressivité, à exprimer peu à peu. Mme Adrien se sent plus en sécurité et peut me dire ce qui l'inquiète chez sa fille. En fait, ce sont plutôt ses propres inquiétudes qu'elle va me confier :

— Avant, j'étais sévère, et je ne voulais pas que ma fille sorte. Maintenant je permets tout, et Béatrice ne bouge pas de la maison.

Nous cherchons pourquoi Béatrice n'a pas envie de partir :

— Béatrice est passive, il faut tout faire pour elle, tout lui dire, jusqu'à la façon de s'habiller le matin; il faudrait même que je l'habille et lui donne à manger comme à un bébé...

Béatrice écoute, suspendue aux lèvres de sa mère, en attente de quelque chose... l'idée de redevenir un bébé fait naître un sourire sur ses lèvres, puis un rire qui la soulage quand je reprends que c'est peut-être bien cela qu'elle réclame.

Mme Adrien pense qu'à quinze ans, on n'a plus besoin de sa mère, il n'est donc pas question qu'elle s'occupe d'elle — « d'ailleurs, je ne peux pas » dit-elle, marquant ainsi la normalité, puis sa volonté et enfin ses limites, à savoir son impossibilité d'être une bonne mère. C'est peut-être aussi une demande d'aide que je saisis au vol, ce qu'elle nie farouchement, refusant toute intervention, même « sur la pointe des pieds », comme celle que je tente depuis quelques mois.

Très vite, Mme Adrien se ressaisit pour aborder un autre sujet important mais moins dangereux. Béatrice aimerait s'occuper d'enfants pendant les vacances d'été, dans une colonie, peut-être comme aide-monitrice. Est-ce que je peux les aider à trouver quelque chose?

C'est un problème pratique comme bien d'autres dont nous avons déjà discuté, sans qu'il y ait d'initiatives réelles de la part de Béatrice ou de sa mère qui souhaiteraient que je les prenne à leur place. Je leur dis l'intérêt de ce projet pour Béatrice qui semble y tenir et mon désir de les aider à le mener à bien. J'ai une documentation là-dessus à mon bureau et je leur propose de venir me trouver ensemble, puisque c'est ainsi que l'exige Mme Adrien qui m'affirme à nouveau que Béatrice n'osera pas faire la démarche seule.

Avant de prendre congé, je reparle des doutes de Béatrice quant à l'utilité de mon intervention. Pour ma part, je souhaite continuer à les voir, je pense que, malgré tout, nos rencontres sont importantes. Bien sûr, je n'ai pas donné de réponses claires et définitives à leur difficulté à vivre ensemble. Mais y a-t-il d'autres réponses que celles qu'elles pourront donner elles-mêmes ? Ma présence peut les aider à cela dans la mesure où elles l'acceptent et la veulent utile : mais je ne peux m'imposer. Elles doivent donc y réfléchir et faire connaître leur décision au juge des enfants quand il les convoquera.

Nous prenons rendez-vous pour la semaine suivante afin d'essayer de satisfaire le désir de Béatrice qui veut trouver un emploi dans une colonie de vacances.

Le jour de notre rendez-vous passe. Pas de Béatrice ni de mère. Je prends patience, mais en vain... Leur absence marque clairement, me semble-t-il, leur refus de continuer nos rencontres. Dans une situation pareille je ne peux m'imposer. Que vont devenir Béatrice et sa mère ? Je suis inquiet pour l'avenir et déçu de n'être pas parvenu à leur donner l'impulsion suffisante pour qu'elles réagissent.

Il reste l'entrevue prévue avec le juge des enfants, au cours de laquelle l'une et l'autre feront leur choix. Je prévois d'en parler en équipe pour tenter d'éclaircir la situation et pour décider aussi de ce que je dois communiquer au juge des enfants pour ce dernier entretien.

Comme tous les jeudis matin, nous nous retrouvons en équipe de secteur pour notre réunion d'« évaluation » hebdomadaire. C'est la troisième fois que nous allons parler ensemble de la famille Adrien.

Je rappelle brièvement la situation familiale et je parle surtout de mes dernières visites, en essayant, avec l'aide de tous, de dire avec précision ce que j'ai vécu et comment je l'ai ressenti.

Je me trouve devant une relation mère-fille très « perturbée ». Cette mère est une femme rigide, en conflit permanent avec son entourage et qui souffre, en s'en défendant, d'un état dépressif dont Béatrice est devenue le centre : « Elle me fiche en l'air, elle me fera craquer... »

Mme Adrien se sent coupable, mais ne peut concrétiser son « rejet », que Béatrice ressent très profondément et qui l'angoisse. Béatrice, de son côté, ne sait plus où elle en est : quoi qu'elle fasse, sa mère ne l'accepte pas.

Elles sont prisonnières l'une de l'autre, Béatrice n'étant plus que le désir de sa mère, prête à tout pour se faire accepter, à tel point qu'elle ne trouve plus aucun intérêt à tout ce qui est extérieur à cette relation, dont elle souffre pourtant profondément, elle aussi.

En faisant une fugue, il y a un an, Béatrice a tenté de rompre cette relation néfaste et a cherché à vivre par elle-même. Mais il y a eu les incidents de l'été qui l'ont complètement dépassée et qu'elle a subis en « victime », sans rien comprendre à tout ce qui lui arrivait, traumatisée et réclamée par sa mère dans les pires conditions, celle-ci déclarant : « Elle ne pourra faire pire avec moi. »

Les spécialistes, psychothérapeute et psychiatre, soulignent ma « non-réponse » quand Mme Adrien a fini par situer ses limites dans son rôle de mère vis-à-vis de Béatrice :

— Il aurait fallu l'intervention d'un psychothérapeute...

— Il aurait fallu quelqu'un pour la mère et quelqu'un d'autre pour la fille...

— Le juge des enfants aurait dû proposer directement une orientation vers un thérapeute...

Autant de commentaires qui fusent, mais qui sont en dehors de cette réalité qui pèse sur nous tous, à savoir que Mme Adrien et sa fille ne voulaient voir personne. C'était un préalable très clair. J'étais le seul à pouvoir tenter quelque chose car ni l'une ni l'autre n'étaient prêtes à faire la moindre démarche pour demander de l'aide. J'espérais les y préparer.

Il est peu probable, après ce qu'elle m'a dit et ce rendez-vous manqué, que Mme Adrien accepte la poursuite de l'AEMO; pourtant je suis bien incapable de prévoir très précisément sa réponse et celle de Béatrice. Le juge des enfants ne peut rien imposer dans un cas comme celui-ci, d'autant que je me vois mal poursuivre nos rencontres après ces six mois, sans un minimum d'adhésion de leur part.

Je suis pourtant persuadé qu'il s'est passé des choses importantes du fait de ma présence. Toutes les deux s'en sont aperçues mais l'ont ressenti comme une menace insupportable et non comme un mieux.

En les voyant prudemment et peu souvent, afin de respecter le plus possible leur refus de l'intervention, je crois pourtant avoir réussi à rendre moins dramatiques la fugue et les expériences malheureuses de Béatrice. J'ai accepté l'agressivité de Mme Adrien qui a pu, alors, exprimer ses difficultés profondes et le danger que sa fille représentait pour elle. Bien que je n'aie jamais pu atteindre Béatrice directement — seulement à travers sa mère qui parlait en son nom — j'ai tenté de lui faire comprendre aussi souvent que possible qu'elle comptait pour moi, ne serait-ce que parce que j'accepte son attitude réservée et même son hostilité à mon égard. Je me suis efforcé aussi, au cours des dernières visites, de ne pas la considérer comme le « problème », jusqu'à ce que sa mère puisse parler de ses propres difficultés, ce que sa fille a bien entendu. Enfin, il me semble important de les laisser libres de choisir, pour leur permettre, si elles le souhaitent un jour, de faire confiance à quelqu'un d'autre.

Il me reste à communiquer au juge des enfants mon sentiment sur la situation. Nous essayons là aussi d'envisager d'autres hypothèses, et malgré l'échec du premier départ de Béatrice en internat, nous imaginons mal comment elle pourra s'en tirer en continuant à vivre chez elle, en si étroite dépendance de sa mère...

A la suite d'un rendez-vous, je vais à Avignon rencontrer le juge des enfants pour lui exposer de vive voix la situation. Il me reçoit dans son bureau — c'est là qu'il recevra aussi Béatrice et sa mère — et je lui donne les éléments essentiels de l'évolution de la mesure éducative depuis six mois. Il ne s'agit pas du contenu de ma relation avec Béatrice et sa mère — cet aspect de mon intervention nous appartient — mais de points de repère qui permettront au juge des enfants, après avoir écouté les intéressées, de se faire une opinion pour prendre la décision qu'il jugera la meilleure. Les éléments que je transmets ont rapport aux motifs qui ont déclenché l'intervention du juge.

J'insiste sur le contrat moral que j'ai passé avec la famille Adrien concernant le renouvellement de cette mesure : l'accord de l'une et de l'autre est nécessaire, je ne peux préjuger de leur réponse, qui sera peut-être différente de celle qu'elles m'ont donnée à ma dernière visite. Cela dépendra sans doute beaucoup de Mme Adrien.

Je lui explique aussi leur difficulté à vivre ensemble. Il est certain qu'une séparation ne pourrait être que bénéfique, mais faut-il encore qu'elle soit possible : elle le sera peut-être si Mme Adrien est dans une période dépressive et « craque » au cours de cet entretien. Il faudrait alors l'aider pour lui permettre d'exprimer sans trop de culpabilité le « rejet » de sa fille. Elle ne pourra accepter un placement que s'il se présente comme un soulagement pour elle.

Je souhaite qu'on leur dise que je reste à leur disposition si l'une ou l'autre a besoin d'aide; il n'est pas impossible que les aspects positifs de l'AEMO se fassent sentir d'ici quelque temps.

Une quinzaine de jours plus tard, je reçois une note du juge des enfants me communiquant l'essentiel de ce dernier entretien et me signifiant l'arrêt de l'AEMO.

Mme Adrien a exposé spontanément les problèmes que lui posait sa fille : son comportement à l'école et à la maison. Elle a dit que les difficultés passagères s'atténueraient lorsque Béatrice travaillerait, comme elle le désirait. C'était un mauvais passage : « Je me suis confiée à l'éducateur et en cela, l'AEMO n'a pas été inutile; mais Béatrice ne veut pas d'un éducateur et n'en voudra jamais. Quant à moi, j'aurais voulu une aide plus concrète : que l'on me donne les renseignements d'orientation professionnelle, par exemple... »

Béatrice a été entendue à son tour, assez à l'aise, seule avec le juge. Elle ne voulait d'aucun éducateur à la maison, quel qu'il fût. Elle a reconnu ne pas être toujours facile.

Le juge des enfants a accepté leur choix et leur a dit que sa porte et celle de l'éducateur leur restaient ouvertes.

Je les rencontre une dernière fois chez elles, pour manifester clairement que j'accepte leur décision et que cet « arrêt » de notre relation n'est pas mal ressenti de ma part. C'est, me semble-t-il, de cette démarche que dépendra la leur dans l'avenir, si elles en ressentent la nécessité et avec peut-être d'autres interlocuteurs. Je leur apporte les renseignements qui permettront à Béatrice d'aller participer à l'encadrement d'une colonie de vacances cet été. Béatrice est détendue, et toutes deux manifestent leur optimisme pour l'avenir.

Je les quitte sur cette note d'espoir, qui ne me rassure pourtant pas totalement.

Jean-Marc Laurent

Avant d'aller chercher Jean-Marc chez lui, je relis les notes que j'ai rédigées assez régulièrement après chacune de nos rencontres — je fais ainsi pour tous. J'y trouve les éléments essentiels me rappelant ce que nous avons déjà vécu ensemble et je peux ainsi mieux comprendre ses réactions et juger de son évolution.

Le père de Jean-Marc est gendarme. C'est très impressionnant pour un enfant de onze ans — du moins pour celui-ci. Ce père très exigeant est bien difficile à égaler, c'est pourtant ce que l'on demande à Jean-Marc ! Rien n'est à sa taille : il doit monter sur une bicyclette trop grande, suivre une scolarité au-dessus de ses aptitudes, avoir des activités sérieuses et constructives, fréquenter des copains suffisamment « bien » pour ne pas nuire à la carrière de son père. Il lui faut grandir tellement vite que l'échec inévitable crée en lui un complexe d'infériorité. Il se débat dans cette situation en adoptant un comportement réactionnel agressif en milieu scolaire et instable chez lui.

Ses parents s'étaient inquiétés de ce comportement. Ils avaient consulté un pédiatre qui avait d'abord soigné Jean-Marc avec des tranquillisants, et qui devant le peu de résultat de son traitement, l'avait envoyé au dispensaire d'hygiène mentale, lequel nous avait demandé d'intervenir.

Malgré ses frères et sœurs, Jean-Marc est très seul. Eux peuvent jouer comme tous les enfants de leur âge, lui doit assumer la lourde responsabilité de l'aîné en donnant l'exemple, et répondre aux ambitions de ses parents pour son avenir.

113

Sa famille a vécu longtemps en Algérie. Elle en est revenue dans des conditions difficiles, à la suite d'événements parfois traumatisants. Les récits de cette époque, émaillés de scènes pénibles, angoissent profondément Jean-Marc et alimentent toutes ses peurs.

Alors, Jean-Marc masque sa fragilité et son inquiétude en se donnant des allures de dur, jouant l'adulte pour satisfaire son entourage.

Si j'évoque cet aspect des difficultés de Jean-Marc, c'est parce que, lors de notre précédente rencontre, ce personnage trop sérieux, faussement adulte, s'était enfin démantelé. J'étais arrivé à lui faire partager quelques instants de vraie détente, ressentis par moi-même comme une nécessité pour la bonne marche de notre relation. Nous étions allés faire une partie de baby-foot, au cours de laquelle ses attitudes de prestance avaient craqué pour la première fois. Il avait pu rire sans retenue et même se laisser aller jusqu'à proférer quelques jurons à chacune de ses maladresses au jeu.

Puis, nous avions fêté l'après-match en dégustant une glace. Jean-Marc avait choisi la plus grosse pour satisfaire une gourmandise qui lui valait à la maison bien des mésaventures. Dans son élan, il m'avait proposé d'en voler une seconde. Nous étions seuls, la vendeuse s'était absentée. Après cette partie libératrice, je ne représentais plus pour lui un interdit suffisamment puissant, à la différence de son père. Je l'avais laissé se débattre avec son désir, sans moraliser ni interdire, mais je lui avais fait remarquer à quel point ce désir était fort, qu'il existait en chacun de nous sous des formes différentes et qu'il fallait bien le reconnaître pour petit à petit apprendre à l'apprivoiser. Je voulais ainsi l'aider à identifier un tel désir et, par mon attitude, contribuer à dédramatiser le sentiment de culpabilité qui s'y rattachait. Il était allé se planter devant la vitrine, pour finir par renoncer à son projet, sans que je cède pour cela à mon envie de lui en acheter une autre... Il n'est pas facile d'imposer la frustration!

En allant chez Jean-Marc aujourd'hui, je pense que c'est ainsi qu'il pourra contrôler ses craintes et ses impulsions. S'il les reconnaît et les exprime, il pourra s'en démarquer suffisamment pour s'en inquiéter moins et mieux les contrôler. Je suis prêt à l'y aider.

Comme à chaque rencontre, Jean-Marc est là, mais « pas encore prêt » ainsi que s'empresse de me l'annoncer sa grand-mère. Lui-même feint d'avoir oublié notre rendez-vous mais se prépare comme toujours avec beaucoup d'enthousiasme. C'est un rituel qui est, je crois, la traduction de sentiments ambivalents bien compréhensibles : Jean-Marc souhaite nos rencontres mais les appréhende aussi dans la mesure où elles le dérangent.

Dès qu'il est prêt, je lui rappelle notre précédente sortie de détente, en précisant que je veux bien recommencer s'il en ressent à nouveau le besoin. Jean-Marc choisit d'aller faire une promenade.

Il y songeait probablement depuis longtemps car, sans hésiter, il me guide vers un bois où il se souvient avoir joué enfant.

Dès que nous y sommes, j'ai du mal à suivre Jean-Marc qui file devant, se repérant à ses souvenirs tout en me racontant ses jeux d'alors. Il s'arrête enfin devant une grotte qu'il avait, à cette époque, à la fois très envie et très peur d'explorer. Ce n'est en réalité qu'une anfractuosité dans les rochers, un grand trou noir sans profondeur. Jean-Marc en fait vite le tour et s'étonne maintenant de ses frayeurs d'enfant... Il est soulagé de s'être débarrassé d'un souvenir qui pesait encore sur lui jusqu'à aujourd'hui.

Puis il s'élance en plein bois, droit devant lui. Mais bientôt son allure faiblit; il s'arrête même, inquiet, son élan brisé net et m'interroge :

— Saurons-nous retrouver notre chemin?

Je l'assure de mon sens de l'orientation et, malgré ses craintes, je l'encourage à marcher devant en « éclaireur »... Alors, rassuré, Jean-Marc se libère et joue. Il devient un Indien Sioux et s'arme d'un bâton impressionnant qu'il manie comme une lance pour combattre les serpents et les lézards, m'affirmant en avoir vu « des gros comme le bras »... Il va ainsi livrer bataille à ses peurs.

Nous marchons en terrain accidenté une dizaine de minutes avant d'atteindre l'extrémité du bois. Puis, Jean-Marc veut faire demi-tour immédiatement pour s'assurer que nous saurons revenir. Je l'invite à retrouver notre chemin en se repérant par lui-même. Il se fait alors attentif, à la recherche du moindre indice marquant notre passage, et reprend très exactement le même chemin qu'à l'aller. Dès qu'il s'en éloigne, il se sent immédiatement perdu et s'inquiète. Mais lorsque nous débouchons sur notre point de départ, quelle victoire! Il la savoure un court instant et, sans me laisser de répit, m'entraîne à nouveau explorer le reste du bois en tous sens, jusqu'à ce qu'il s'y sente à l'aise, enfin détendu, maître d'un domaine qu'enfant il avait cru aussi terrifiant que l'Amazonie.

Après cette course dans tous les azimuts, nous décidons de souffler un peu en nous asseyant à la lisière du bois, sur une hauteur d'où nous pouvons voir la campagne environnante. Jean-Marc me montre une petite ferme qu'il rêve aussitôt d'habiter avec sa famille : il y serait « bien tranquille, à l'écart des gens à histoires, et pourrait s'occuper des animaux ». Il veut être vétérinaire et me le répète souvent comme pour s'en convaincre et forcer sa destinée. Jean-Marc compare l'endroit avec son quartier où il est difficile de s'entendre avec des voisins que ses parents critiquent souvent : « Ce serait plus simple et bien agréable de vivre ici... »

Il fait beau, le silence est orchestré par le chant des oiseaux qui finissent par attirer l'attention de Jean-Marc. Il me propose de revenir la prochaine fois avec sa carabine et d'en tirer quelques-uns... Sans prendre leur défense, je lui réponds que j'aimerais tirer aussi, mais plutôt sur les pommes de pin. Quant à Jean-Marc, il est nécessaire qu'il puisse jouer ses contradictions : « soigner-tuer » en est une, probablement liée à certaines craintes morbides dont il m'a déjà parlé.

Mais l'heure avance, il faut nous hâter de rentrer. Avant de nous séparer, je lui confirme notre prochain rendez-vous dans quinze jours.

C'est le rythme habituel de nos rencontres depuis l'année dernière. Nous en avons convenu ensemble lorsqu'il s'était inquiété de savoir combien de temps j'allais le suivre, et comment. Cette régularité voulait répondre à un besoin de sécurité. Il me semblait par ailleurs que ce rythme de rencontre était suffisant dans la mesure où je n'étais pas limité dans le temps de la prise en charge. Mieux valait pour ce genre d'enfant nous voir une fois tous les quinze jours pendant un, deux ou trois ans, si cela était nécessaire, plutôt qu'une fois par semaine durant six mois ou un an.

Le temps que j'engage avec un enfant ou un adolescent est d'une importance éducative capitale, s'il peut être persuadé que nous en décidons. Si Jean-Marc sait que je peux lui consacrer le temps à venir sans autre limite que celle fixée par lui, sa famille et moi-même, il saura qu'il peut compter sur moi pour évoluer à son rythme et — si mes mandataires en conviennent — sans le risque de voir notre relation s'arrêter du jour au lendemain [1].

Cette fois-ci, lorsque je viens chez lui, Jean-Marc s'informe du temps dont nous pouvons disposer et tient compte des conditions atmosphériques favorables. Puisqu'il fait beau, malgré un vent frais, il choisit d'aller faire une promenade en voiture jusqu'aux *Dentelles de Montmirail*.

Une fois parti, il a peur que notre but ne soit pas trop loin. Je le rassure et nous décidons d'y aller par de petites routes en nous guidant uniquement sur les dentelles rocheuses qui se découpent

---

1. Ceci se passait il y a deux ans et reste possible avec l'instance judiciaire, mais cette dimension éducative ne semble plus exister pour la DASS du Vaucluse qui a récemment décidé de limiter les AEMO à six mois, avec la possibilité de les reconduire pour trois mois, au maximum par deux fois.

sur le ciel bleu. C'est lui qui décide de la route et me guide : gauche, droite, etc. Nous faisons bien quelques détours, mais nous finissons par approcher de notre objectif, et bientôt l'escalade commence.

Jean-Marc m'apprend que c'est une promenade déjà faite en famille et, comme je m'interroge sur les raisons qui l'ont poussé à revenir à cet endroit, il me montre au loin, sur le bas-côté de la route, quelques gros rochers amoncelés qui forment comme un grand menhir en équilibre instable. Sa mémoire, marquée par la crainte, voit l'écroulement : « C'est bien ici que nous sommes passés; je reconnais la roche qui va nous écrabouiller! »

Pourtant nous passons sans qu'il manifeste exagérément sa peur; il ne semble pas plus impressionné par l'à-pic qui est de son côté.

Jean-Marc reste très attentif à la route et attire à nouveau mon attention sur une ouverture de grotte dans la montagne, qu'il reconnaît pour l'avoir déjà repérée la dernière fois. A son grand regret, nous passons dans notre élan et je ne m'arrête pas. Jean-Marc est intrigué et veut revenir. Pour lui faire prendre patience, je dois lui promettre de nous y arrêter au retour, quand nous aurons atteint notre but. Alors, la fin de notre promenade jusqu'au haut des dentelles de Montmirail n'est plus pour lui qu'une formalité, malgré le paysage magnifique que nous découvrons en arrivant.

L'important, c'est cette grotte à laquelle nous revenons comme promis. Jean-Marc veut l'explorer et, très décidé, me pousse devant lui... Pour nous éclairer je n'ai que la lueur de mon briquet; elle éveille des ombres menaçantes qui s'agitent dans ce grand trou noir sans limite. Très rapidement, Jean-Marc reconnaît qu'il a « la trouille ». Je partage volontiers son sentiment car je n'aime pas tellement ce monde souterrain, et nous revenons vite à la surface, éblouis par la violente lumière du soleil.

Sur le chemin du retour, Jean-Marc fait des projets; entre autres, il voudrait monter une expédition plus importante pour visiter cette grotte. Nous partirions alors avec des lampes, des victuailles et des pioches. Devant mon étonnement, il m'explique qu'avec ces outils nous pourrions creuser une galerie pour nous en sortir en cas d'éboulement. Jean-Marc me propose aussi une promenade à bicyclette au Ventoux. Il a grandi et peut maintenant pédaler assis. Je dois calmer son enthousiasme, car, si je veux bien trouver une bicyclette, je ne me sens pas le courage d'escalader le Ventoux. Je lui dis mes limites et gentiment il convient des siennes, reconnaissant qu'il a « lancé le bouchon un peu loin »... La partie de carabine n'est pas oubliée, mais ce sera pour plus tard, quand je l'aurai emmené à la pêche, durant les vacances de Pâques par exemple.

Jean-Marc est plein d'idées et j'en profite pour le lui dire tout en lui suggérant d'en faire profiter ses copains, ou de décider son père à l'accompagner dans ses promenades. Il insiste tout de même et décide de me soumettre le projet d'une partie de pêche d'ici les vacances.

De retour à mon bureau, alors que je note par écrit l'essentiel de cette sortie, je repense aux propos de Jean-Marc un jour où il avait choisi de dessiner. Il était encore très crispé et m'avait déclaré : « Cela ne doit pas être bien drôle pour vous de faire avec des enfants des activités qui ne sont pas de votre âge. » Je n'avais pas l'impression pourtant de m'ennuyer avec lui ce jour-là. Mais maintenant je comprends sa réflexion, car je connais mieux son père qui représente à ses yeux une image trop forte de l'ordre et de la loi. J'ai du mal à imaginer cet homme, dans son rôle de père, en train de jouer avec son fils auquel il ne propose que des activités d'adulte. D'ailleurs à son dernier Noël, Jean-Marc a reçu une boîte contenant du matériel de chimie pour faire des expériences, et un dictionnaire pour ses études.

Alors, bien sûr, pour lui mon attitude est surprenante et il lui a fallu du temps pour croire que nous pourrions jouer ensemble s'il le désirait; d'où cette avalanche de propositions maintenant qu'il en a découvert la possibilité.

Son père commence à s'interroger aussi sur ma façon de faire. Nous en avons un peu parlé la dernière fois que nous nous sommes vus. Jean-Marc ne lui raconte pas grand-chose de nos sorties, mais suffisamment pour qu'il s'étonne que nos rencontres soient faites de jeux, de promenades et de bavardages, apparemment sans rapport avec l'école ou la bonne conduite de son garçon. Ce père commence à se poser des questions et c'est bien là un des aspects essentiels de mon action.

Il n'y aura pas de partie de pêche avec moi. le père de Jean-Marc, que je rencontre, se propose de l'y emmener lui-même, d'autant qu'il ne veut pas acheter un permis de pêche dont son fils n'a pas besoin en sa compagnie. Je note un peu d'agressivité à mon égard. C'est de bon augure dans la mesure où cela révèle une certaine rivalité, un souci de faire aussi quelque chose pour son fils.

Jean-Marc, lui, me demande de venir le chercher un autre jour de la semaine, à partir de la rentrée scolaire, pour qu'il ait le temps de faire ses devoirs. Ce sera donc le mardi désormais. Nous prenons date pour la rentrée.

Le jour dit, Jean-Marc ne fixe pas d'objectif à notre rencontre; c'est donc moi qui en prends l'intiative. Je l'emmène au bord d'un étang où nous nous promenons, puis je lui offre une boisson fraîche à la terrasse d'une guinguette, et nous discutons tranquillement de ses vacances et de la rentrée scolaire. Il m'explique, notamment, ses démêlés avec la langue allemande et m'en fait une démonstration convaincante.

Jean-Marc ne parle plus de ses projets passés, et nous nous quittons après ce moment agréable qui se suffit à lui-même. C'est une rencontre sans histoire qui peut paraître banale, mais je n'essaie surtout pas de la transformer en autre chose. J'ai le sentiment que l'essentiel aujourd'hui est de laisser le garçon marquer le pas, comme pour reprendre contact et évaluer ma disponibilité qui doit aller jusqu'à respecter son désir de vivre ces instants en toute quiétude.

D'habitude je dois aller jusque chez Jean-Marc et attendre qu'il se prépare. Aujourd'hui il m'attend dehors avec impatience, les bras chargés de vieux outils de toutes sortes et d'une lampe-torche. C'est le jour qu'il a choisi pour aller explorer cette grotte que nous avions repérée lors de notre promenade aux Dentelles de Montmirail. Je ne peux retenir un sourire lorsque Jean-Marc fait l'inventaire du matériel destiné à nous sortir de là en cas d'éboulement...

Nous partons rapidement car le temps m'est compté — je dois être de retour assez tôt dans la soirée pour respecter un autre rendez-vous. Nous empruntons cette fois-ci le chemin le plus direct, et Jean-Marc tout au long du trajet mijote à haute voix une aventure passionnante. Pour la pimenter à son goût, il rêve de découvrir un trésor et s'inquiète à l'avance de savoir ce que nous en ferons. Peut-être pourrons-nous « faire part à deux » ? A moins que je n'abuse de ma force pour m'approprier le tout ? Je pourrais, selon lui, le laisser à l'intérieur de la grotte pour m'en débarrasser et partir seul avec le « magot »... Pour prévenir toute velléité de ma part, Jean-Marc se dit prêt à tout me laisser plutôt que d'affronter cette dure perspective si telle était mon intention.

Jean-Marc raconte tout cela sur le ton de la plaisanterie, sans cacher pour autant son excitation, et je comprends bien, tout de même, l'inquiétude qu'il tente de déguiser. Le rôle qu'il m'attribue dans cette histoire est sans doute un peu l'expression des fantasmes dont il est habituellement le personnage central. C'est pourquoi je fais allusion aux rêves dans lesquels nous vivons ce même genre d'aventures.

Nous voilà maintenant arrivés à pied-d'œuvre et Jean-Marc fait rapidement le partage des outils. Se réservant un piochon et la lampe-torche, il me confie un vieux marteau, un tournevis et un « truc » en bois pour repiquer les salades... Nous décidons d'abandonner le reste des outils pour ne pas trop nous charger. Mais à l'entrée de la grotte, Jean-Marc me donne sa lampe torche et, comme la dernière fois, me pousse résolument en avant. Nous nous faufilons dans un boyau où nous devons avancer jambes fléchies et tête basse. Nous progressons ainsi, lentement et sans difficulté, une cinquantaine de mètres avant de déboucher à l'autre extrémité, au pied d'une petite falaise de terre rouge. Jean-Marc est satisfait de notre exploration; aussi prend-il suffisamment d'assurance pour me réclamer la lampe et s'aventurer en tête dans les galeries transversales.

Nous avons bientôt tout vu sans trouver le moindre trésor. Seuls quelques « vestiges » sont les témoins d'une civilisation qui ne peut être que la nôtre, celle qui ne laisse malheureusement que des déchets...

De retour au grand jour, je remarque que Jean-Marc est très énervé. C'est sans doute la réaction à une certaine tension pourtant bien contrôlée jusque-là. Pour le détendre, je l'entraîne dévaler l'à-pic en bordure de route, et nous arrivons sur un petit ruisseau que nous localisons à ses gargouillis. Nous l'atteignons alors qu'il tente de nous fuir en plongeant entre les blocs de rochers, où en se faufilant sous une végétation qui vit les pieds dans l'eau. En sautant de roche en roche, à contre-courant, nous le remontons jusqu'à un petit pont qui l'enjambe. Là, nous retrouvons la route du retour.

L'Aventure est finie. Il faut reprendre pied dans la réalité, celle de tous les jours, marquée de ses inévitables frustrations.

Habituellement, la mère de Jean-Marc est prise au-dehors par son travail quand je passe le chercher. Exceptionnellement aujourd'hui elle est là, et nous en profitons pour bavarder un moment.

Jean-Marc, me dit-elle, ne pose plus aucun problème de comportement dans sa nouvelle école, mais il peine beaucoup pour suivre le nouveau rythme du cycle secondaire. Elle et son mari remarquent bien les efforts qu'il doit faire et sa fatigue, de même que son inquiétude pour les résultats scolaires. Par ailleurs ils le trouvent plus calme et plus détendu à la maison. Bien que nous en ayons déjà parlé, les parents de Jean-Marc reconnaissent encore mal qu'ils lui en demandent trop. Au contraire, Mme Laurent envisage actuellement de lui faire donner des leçons particulières et de l'envoyer à l'étranger se perfectionner en allemand pour préparer la rentrée prochaine. Mais en me disant tout cela, elle reconnaît que, tout compte fait, ce sont eux, les parents, qui sont les plus inquiets. Comment lui ne le serait-il pas à son tour devant des résultats souvent décevants?

Jean-Marc, après avoir suivi notre conversation avec intérêt, commence à s'impatienter. Nous convenons de reparler plus longuement de tout cela en présence de son père, une autre fois.

Maintenant que nous sommes partis, Jean-Marc parle abondamment, sans rien souhaiter faire de particulier. Il évoque à nouveau des problèmes qui l'ont tracassé en début d'année et qu'il m'avait rapportés dans des conversations d'écoliers, dont certaines étaient très provocantes à son égard et l'avaient poussé à des réactions violentes. Par exemple, lorsqu'il se faisait traiter de « sale flic » ou de « sale pied-noir ». Il croyait alors sa famille menacée au point qu'il ne contrôlait plus ses colères.

Jean-Marc en vient bientôt à la question qui le tracasse : il veut savoir pourquoi on dit « sale Juif » pour insulter un copain comme on dit « sale Arabe ». Il ne comprend pas le rapport qu'il peut y avoir entre les deux. Qui sont ces gens et qu'ont-ils fait pour mériter cela? Nous cherchons ensemble dans quelles circonstances ces « injures » ont été proférées et nous en discutons. Je lui apprends que non loin d'ici il y a une magnifique synagogue qui est le lieu de prières des Juifs. Jean-Marc veut tout de suite aller la voir, m'expliquant que c'est comme la grotte, il faut qu'il se rende compte par lui-même pour se libérer de ses inquiétudes qui sont « comme des idées fixes ».

Aujourd'hui, ce sera donc le but de notre sortie.

C'est un rabbin qui nous reçoit : personnage « haut en couleurs » — comme peuvent l'être parfois ceux du Midi — et figure locale bien connue, qui séduit immédiatement Jean-Marc par sa façon d'être et sa bonhomie. Il nous invite à entrer dans la synagogue, que tout le monde peut visiter, et nous raconte combien il est affligé de voir sa religion petit à petit désertée par les jeunes ; il n'y a plus que les vieux comme lui qui vont à l'office célébré selon la vieille tradition juive.

Des touristes arrivent sur ces entrefaites et se joignent à nous pour admirer ce sanctuaire entièrement revêtu de boiseries peintes, où trônent de magnifiques candélabres à sept branches. Le rabbin nous montre la tribune où les hommes s'installent pour assister à l'office, et le couloir clôturé en fines lattes de bois derrière lesquelles, autrefois, les femmes se cachaient pour prier. Cela intrigue beaucoup Jean-Marc qui a du mal à comprendre cette ségrégation, mais il est encore plus étonné par l'explication de notre guide au sujet d'une toute petite chaise artistement capitonnée utilisée pour la cérémonie de la circoncision. Nous voyons aussi des textes hébreux que le rabbin lit couramment et qui sont pour nous incompréhensibles. Jean-Marc fait vite le rapprochement avec son apprentissage de l'allemand : il est étonné qu'un homme puisse être aussi savant !

Nous sortons bientôt après avoir écouté quelques épisodes de l'histoire du peuple juif.

En revenant chez lui, Jean-Marc m'interroge sur la circoncision ; il n'a pas bien compris ce que c'était. Je lui donne les explications qu'il demande en ajoutant qu'elle se pratique peu en France mais beaucoup dans certains pays. Cela nous amène tout naturellement à parler de sexualité et Jean-Marc m'apprend que son père lui a remis un livre à ce sujet. Il est bien au courant maintenant. D'ailleurs, il s'est arrangé pour feuilleter un livre plus documenté, que ses parents se réservaient.

Il est bon que cette information ait pu se faire par ses parents même avec un livre comme intermédiaire. Nous en avions parlé il y a quelque temps et ils ne savaient pas trop comment s'y prendre, tout en sachant bien que c'était maintenant nécessaire. Ils avaient acheté un livre mais n'osaient pas le donner à Jean-Marc. Nous l'avions feuilleté ensemble, et dans la mesure où cela s'était fait facilement entre nous, ils en avaient mieux compris l'utilisation possible. C'est le père de Jean-Marc qui s'était chargé de le lui remettre sans que nous en ayons reparlé depuis.

Aujourd'hui, comme les fois précédentes, Jean-Marc a vécu une étape importante de son évolution. Il essaye de se confronter à des réalités qui l'effrayaient jusque-là, et de se libérer aussi, par la réflexion tranquille et le jeu, de certaines de ses peurs : la nuit, les grottes, les animaux sauvages, se perdre, grimper, tomber, mourir...

Jusqu'à présent, Jean-Marc avait surtout parlé comme un adulte, jouant un personnage contraint : il était obligé de camoufler et de museler ainsi une grande anxiété liée au désir — qu'il ne pouvait se reconnaître — de transgresser une série d'interdits. Il rationalisait l'ordre, la loi, le vol, la violence, la grossièreté, la sexualité sans parvenir à les dominer et à les assimiler...

Chez lui, son père commence à réagir et s'interroge sur sa relation avec ce fils. Il lui reste à trouver un langage plus adapté pour parvenir à en être l'allié. Jean-Marc pourra sans doute alors, en sécurité, prendre davantage d'autonomie vis-à-vis de sa mère et grandir à son propre rythme.

Famille Nicolas
Luc, Agnès, Carole, Alain
et Laurent Vincent

Pour comprendre ce qui arrive à cette famille, il faut revenir quelques semaines en arrière, lorsque l'assistante sociale est venue nous en parler.

Depuis plus de douze ans Mme Nicolas et son compagnon, M. Vincent, habitent notre département, et les services sociaux tentent de rétablir une situation familiale en perpétuel déséquilibre.

A l'origine de leurs nombreuses difficultés, il y a eu d'abord le départ définitif d'un mari qui a laissé sa femme avec quatre enfants. Mme Nicolas n'a pu faire face à cette situation; elle est victime elle-même d'une enfance difficile, qui l'a laissée démunie devant une telle charge. Pour s'en sortir, elle se met en ménage avec M. Vincent qui lui donnera cinq autres enfants. Elle le quittera à la naissance du dernier, et vivra ensuite avec un autre homme pendant quelques mois, avant de se retrouver de nouveau seule avec ses cinq enfants âgés de deux à quatorze ans — les quatre aînés sont majeurs; deux d'entre eux vivent en partie chez leur mère, les deux plus âgés sont partis depuis longtemps.

Ils habitent depuis deux ans un baraquement en dur, de plain-pied sur une cour en terre battue qui se transforme en bourbier au moindre orage. Ce F 4, accolé à quelques autres tout aussi misérables, est sordide et exigu, d'autant qu'il leur arrive d'y vivre à huit.

Le loyer s'élève à 350 F par mois. Cette somme est entièrement couverte par l'allocation logement. La Caisse d'allocations familiales cautionne ainsi une situation inadmissible, car seul le propriétaire y trouve son compte. Les démarches de l'assistante sociale n'y changeront rien.

Son loyer payé, Mme Nicolas dispose de 850 F d'allocations familiales pour vivre avec ses enfants.

La mairie de leur village signale avec insistance cette famille aux services sociaux du secteur. On s'inquiète de la tenue des enfants, de leur inadaptation scolaire, du concubinage de Mme Nicolas et des « histoires » avec les voisins dont les innombrables enfants, espagnols ou nord-africains, se bousculent avec les siens dans cette petite cour surpeuplée.

L'école réagit à son tour, décrivant des enfants apathiques ou instables avec d'importants retards scolaires. Les enseignants reprochent à Mme Nicolas de ne pas les faire travailler à la maison et de les envoyer à l'école sales et nippés comme des bohémiens; mais « leur air triste émeut les institutrices et les gens du village sur le chemin de l'école »...

La mairie, l'école, l'entourage finiront par se faire entendre. L'assistance sociale devra alors multiplier ses interventions et aura beaucoup de mal à en faire admettre la nécessité à cette mère de famille.

Jusque-là, Mme Nicolas aurait volontiers accepté des secours et un logement plus décent, mais pas au prix d'une « présence sociale » qu'elle appréhende comme un contrôle. Elle avait essayé de cacher l'existence de son concubin et « acceptera, sans confusion, la mise au point de l'assistante sociale ». Elle avait refusé une aide financière éducative au bénéfice des enfants : l'assistante sociale lui ayant proposé, sans succès, leur placement en établissement spécialisé, pour lui permettre de trouver un logement plus grand et plus décent. Enfin, elle n'avait pas voulu non plus d'une travailleuse familiale.

Mme Nicolas désirait pourtant qu'on l'aide sur un point : elle avait grand-peur que son ex-compagnon, M. Vincent, fasse valoir ses droits sur Laurent, le dernier de ses enfants, le seul qu'il ait reconnu à la naissance deux ans plus tôt. C'est à partir de ce litige que les difficultés de la famille Nicolas ont été examinées par le juge des enfants, qui décidait d'une mesure éducative en milieu ouvert. Après quoi les propositions de l'assistante sociale ont été acceptées par Mme Nicolas; mais les enfants sont restés à la maison avec leur mère, l'intervention d'un éducateur spécialisé suppléant le projet initial de placement.

Quelque temps après cette information, notre service reçoit donc une ordonnance du juge des enfants nous confiant l'exercice d'une mesure éducative dans cette famille. Je suis disponible et, avec l'accord de l'équipe, il est convenu que j'interviendrai dès que possible, en coordination avec l'assistante sociale et la travailleuse familiale.

Depuis, l'assistante sociale a annoncé ma venue et je vais ce soir faire la connaissance de la famille Nicolas.

Lorsque j'arrive, tout le monde est là, sauf Luc parti s'entraîner au hand-ball malgré l'interdiction de sa mère qui lui avait demandé d'être présent pour cette première rencontre. Tous m'observent avec réserve et une certaine inquiétude.

Je dis bonjour à chacun, en cherchant à les différencier aussitôt par leur prénom. Mon attitude semble déjà les rassurer un peu. Ils m'accueillent, malgré des appréhensions bien compréhensibles, et Mme Nicolas me fait entrer en s'excusant à l'avance de l'état des lieux.

C'est à mon tour de m'adapter; tout d'abord à cette odeur caractéristique des taudis qui me prend à la gorge, puis à ces conditions de vie désastreuses. Les murs se dégradent, le plâtre s'effrite un peu partout et il est difficile de retrouver des traces de peinture sous le salpêtre qui envahit tout : la cuisine jouxtant une petite salle de séjour en est couverte. Le seul point d'eau est à l'évier : de l'eau froide, pas de chauffe-eau. L'écoulement des eaux usées est défectueux, le conduit est bouché, et une odeur d'égout flotte en permanence. La pièce est pauvrement meublée : une table de cuisine, un petit buffet, quelques chaises bancales.

Bien sûr, ce n'est pas vivable... Je me raccroche aux visages des enfants, où l'espoir et l'avenir brillent plus qu'aux murs de cette triste maison à laquelle j'ai le sentiment que je ne pourrai jamais m'habituer. C'est au moins cela de gagné, car je partage immédiatement leur désir à tous d'en partir dès que possible. Mais sans le leur dire. Ce serait un espoir abusif que rien de précis ne peut actuellement fonder.

C'est là qu'ils vivent et c'est là que nous faisons connaissance. Je leur dis qui je suis et je m'intéresse à chacun d'eux. Bientôt je suis plus à l'aise, et eux-mêmes laissent libre cours à leur spontanéité, qui s'accommoderait mal d'une visite officielle.

La maison s'anime et la vie reprend ses droits. Avec le naturel coutumier des enfants, Agnès, Carole, Alain et Laurent m'évaluent. Chacun fait son compte à la vitesse effrayante avec laquelle un enfant juge l'adulte et sent ce qu'il peut en attendre.

Pendant ce temps, j'écoute leur mère se plaindre d'une autorité qu'elle n'a pas, en particulier pour exiger de ses enfants qu'ils fassent leurs devoirs au retour de l'école. A son avis, je vais pouvoir la remplacer et les faire travailler les jours de congé. A cette nouvelle, le brouhaha des voix s'estompe. Nous sommes mercredi et cette perspective inquiète les enfants qui attendent ma réaction.

Comme j'essaye de savoir pourquoi Mme Nicolas attend cette sorte d'aide de ma part, elle m'explique que son assistante sociale lui a parlé de cette possibilité en annonçant ma venue.

Je ne suis pas là dans ce but, mais je ne contredis pas. Je préfère situer la manière dont je peux répondre au désir de cette mère et à l'attente des enfants. Je ne m'arrête donc pas aux difficultés scolaires des uns et des autres mais plutôt aux autres aspects de leur vie, qu'ils évoquent d'ailleurs avec soulagement : leurs camarades, leurs jeux, les animaux qu'ils élèvent. Je veux leur dire avant tout qu'ils m'intéressent pour ce qu'ils aiment.

Et c'est bientôt de cette façon qu'ils cherchent eux aussi à me connaître.

Lorsqu'ils ont compris que je ne viens pas faire l'école à la maison, les cartables sortent comme par magie de dessous la table autour de laquelle nous sommes réunis et tous les quatre s'installent pour faire leurs devoirs... Je ne peux m'empêcher de rire à cette réaction naïve. Alors, dans la bonne humeur, chacun veut me montrer ses dessins. C'est bien la seule chose qu'ils semblent aimer faire sur un cahier. On m'en promet tant que je voudrai. La glace est rompue.

Agnès, la plus âgée, va près de sa petite sœur pour la faire travailler. Carole a bientôt dix ans et ne sait pas encore écrire; pourtant, ses yeux malicieux pétillent d'intelligence. Agnès s'arme d'une règle et stimule Carole en la menaçant de façon autoritaire et répressive. Quelle maîtresse! Mais à qui emprunte-t-elle cette attitude qui panique Carole sans l'aider en aucune façon?

Cependant, je continue à bavarder avec Mme Nicolas qui surveille tout son monde. Elle voudrait bien que les choses se passent ainsi tous les soirs, mais elle en revient à nouveau à son manque d'autorité. Elle intervient pourtant pour mettre un peu de calme dans l'agitation qui déferle par moments sur les plus jeunes, très instables, mais elle le fait maladroitement, crie beaucoup et souvent à contretemps. Elle semble plus sœur aînée que mère dans ses interventions, s'y prenant un peu comme Agnès avec Carole. Son rôle de mère lui pèse manifestement et elle voudrait bien s'en décharger. Si je pouvais être l'autorité qui menace ses enfants... mais je n'interviens à aucun moment; aussi va-t-elle essayer de me pousser à prendre ce rôle : « Tu vas voir monsieur l'éducateur...! » C'est à Alain que cela s'adresse. Avec ses huit ans, il ne tient pas en place. C'est la mouche du coche. Il est partout à la fois, touche à tout, et s'agite avec une maladresse aussi émouvante que provocante. C'est sa façon de réclamer plus d'attention.

Il se rassure vite devant mon attitude qui ne répond pas à

l'appel de sa mère. Mme Nicolas s'aperçoit qu'elle ne pourra pas bâtir son autorité seulement en m'évoquant.

Je n'ai pas l'intention pour autant de la laisser se débrouiller seule, mais il faut avant tout qu'elle sache que c'est à elle de prendre les initiatives à sa façon. Alors je pourrai l'aider à clarifier ses exigences vis-à-vis de ses enfants et à chercher le meilleur moyen de les faire respecter.

Pour l'instant, Mme Nicolas est surprise par mon attitude qui ne correspond pas à ce qu'elle attendait de moi. C'est le moment qu'elle choisit pour aller chercher une lettre dans une boîte en fer-blanc. Il s'agit de l'ordonnance prise par le juge des enfants instituant une « mesure d'AEMO à titre provisoire pour une durée de six mois ».

Mme Nicolas me demande de lui expliquer ce que signifie ce texte et tout particulièrement le dernier alinéa où il est écrit : « Ordonnons que ledit service déposera à l'issue de la période ainsi fixée un rapport au vu duquel il sera statué sur les mesures de protection à prendre en faveur des mineurs dont il s'agit. »

Il faut reconnaître que le langage juridique de cet acte — au cas où il serait même lisible par tous — ne facilite pas la tâche de l'éducateur. Ce texte me présente à cette mère de famille inquiète comme celui qui va examiner, apprécier, contrôler sa conduite et celle de ses enfants pour en rendre compte à une instance autoritaire. Cela explique l'autorité que l'on voulait à tout prix m'attribuer et rend compréhensible leur attitude craintive du début.

Mme Nicolas me confie la peur qu'elle avait de me voir enlever les enfants pour les placer, ce qui avait été envisagé il y a quelque temps par l'assistante sociale, et l'ordonnance avait donc accru son anxiété.

Je précise alors à Mme Nicolas les caractéristiques du service où je travaille et ce que sont mes rapports avec le juge des enfants. Je n'appartiens pas aux services de la Justice, aussi ne suis-je lié au juge des enfants que par un mandat spécifique et provisoire « d'action éducative en milieu ouvert ». Je ne suis donc pas venu faire acte d'autorité en son nom. Mon seul objectif est de les aider à vivre ensemble, non de les séparer.

Je sais bien que mes explications restent peu convaincantes, même si elles expriment des intentions réelles. Cette menace de séparation, telle qu'elle est ressentie, continuera d'exister; elle tient aussi au sentiment d'incompétence et de vulnérabilité qu'éprouve actuellement cette mère débordée. Seul l'avenir lui permettra de mieux comprendre ce que je suis, et donc en quoi je peux lui être utile.

En quittant Agnès, Carole, Alain, Laurent et leur mère, j'essaye d'analyser les résultats de cette première visite qui est, comme chaque fois, d'une importance capitale, car elle détermine nos rencontres suivantes.

Je ne suis pas venu faire l'école, non parce que je l'ai affirmé mais parce que je ne l'ai pas faite, montrant ainsi que je ne considérais pas ce point comme un sujet de préoccupation dominant.

Je ne suis pas « l'autorité », parce que je ne suis pas venu à l'aide de Mme Nicolas quand elle me l'a demandé. Cependant, tout en refusant d'agir à sa place, j'ai écouté les difficultés qu'elle éprouve elle-même dans cette fonction.

Je n'ai pas l'intention de retirer les enfants. Je l'ai dit, mais cela reste à prouver.

Quand je m'en vais, c'est avec plaisir que nous envisageons notre prochaine rencontre et les enfants me raccompagnent en riant jusqu'à ma voiture; seul Luc, arrivé peu avant mon départ, se tient à l'écart... Ma prochaine visite ne sera pas menaçante et nous pourrons alors nous connaître mieux.

Cela fait maintenant un mois que je vais régulièrement dans la famille Nicolas. Quand j'arrive, les plus petits me sautent au cou, m'embrassent, et je repars avec des asperges sauvages cueillies dans la montagnette par Carole et Alain.

Tous les deux ont voulu venir avec moi à mon bureau pour

savoir où j'étais. Ils m'ont fait de très beaux dessins et nous avons joué aux cartes.

Ils ont le visage triste des gosses marqués par la misère. Leur attitude instable est le résultat d'une enfance traquée par l'incertitude des événements; leur comportement excessif manifeste leur inconfort; leur sagesse passagère n'est que contrainte, inhibition et impuissance devant l'autorité.

Toutes leurs attitudes réclament une attention particulière qu'il ne faut pas décevoir, car il est à la fois difficile et nécessaire pour ces enfants de faire confiance à un adulte pour s'extérioriser enfin...

Ils ne sont pas les seuls dans ce cas. Là où ils vivent, il y a quelques familles rejetées comme eux à la périphérie du village. Lorsque je raccompagne Carole et Alain, une vingtaine de gosses « jouent leur marginalité » dans cette petite cour exiguë. Les garçons s'entraînent à taper dans un ballon, résistant aussi longtemps que possible aux injonctions des mères de famille; celles-ci défendent le résultat d'une lessive faite à la main et à l'eau froide dans des bacs placés à cet effet en bordure de la cour. A l'autre extrémité, un peu à l'écart, quelques fillettes, assises par terre, jouent avec la poupée que l'une d'entre elles a le privilège de posséder.

Carole me confie son rêve : en avoir une pour elle toute seule un jour... elle pourrait lui dire tant de choses!

La famille Nicolas doit avant tout pouvoir vivre décemment. Mes rencontres avec les uns et les autres, que j'essaye de connaître et de comprendre, sont imprégnées de ce désir. Je ne veux pas me laisser envahir par cet aspect de leurs difficultés actuelles, mais je ne peux l'ignorer, d'autant que Mme Nicolas finit par ne plus comprendre ce qui se passe autour d'elle.

Où en sont les promesses de l'assistante sociale concernant l'amélioration de son logement? Il avait été question que le

PACT — il s'agit d'un comité d'action pour l'aménagement de l'habitat existant — vienne effectuer certains travaux indispensables mais Mme Nicolas n'en a pas de nouvelles, pas plus que de son assistante sociale, qu'elle n'a pas revue depuis le début de mon intervention.

D'autre part, une travailleuse familiale vient comme convenu tous les mercredis pour aider Mme Nicolas dans l'organisation et l'entretien de sa maison. Cette travailleuse familiale doit gérer une aide financière de 1 000 F mensuels, obtenue auprès des services de l'Aide de l'enfance par l'assistante sociale. Mais en réalité, toutes deux ne disposent que de 500 F et ne comprennent pas pourquoi le versement de la somme prévue n'est pas effectué intégralement.

Mme Nicolas se sent impuissante devant ces contretemps. Aussi, je propose à l'assistante sociale et à la travailleuse familiale de nous rencontrer dès que possible, pour voir ce que nous faisons dans cette famille, et quels sont nos projets.

Tant que nous n'y verrons pas clair, ça ne le sera pas non plus pour Mme Nicolas.

Heureusement, nous nous voyons très rapidement.

L'assistante sociale pense que sa présence n'est plus nécessaire puisque la travailleuse familiale et moi-même agissons maintenant dans cette famille. Mais alors, que deviennent les propositions faites à Mme Nicolas et qui ne peuvent être réalisées faute de moyens ? Il me paraît indispensable, au contraire, qu'elle tienne ses engagements pour permettre à cette mère de reprendre la direction de sa vie et celle de ses enfants, sans quoi toute action éducative reste vaine et hypocrite.

Nous ne sommes pas non plus d'accord sur l'objectif éducatif à atteindre. L'assistante sociale estime qu'elle n'intervient pas pour la mère, mais pour la sauvegarde des enfants et à leur seul profit.

Il est de fait qu'actuellement toutes les interventions visent les enfants en excluant leur mère. L'école réagit dans ce sens en utilisant mon intervention — du moins l'idée qu'on s'en fait —

pour menacer les enfants, sans prendre la peine de mettre Mme Nicolas au courant de leurs difficultés. Le médecin scolaire décide d'envoyer Carole en centre hélio-marin pour trois mois, sans entendre sa mère qui appréhende actuellement toute séparation. L'assistante sociale et la travailleuse familiale envisagent d'envoyer les enfants en colonie de vacances sans que ceux-ci le désirent. Le budget familial est géré sous tutelle pour les enfants. On comprend pourquoi Mme Nicolas se sent manipulée et ne sait plus très bien quel est son rôle. Toutes ces décisions contribuent encore un peu plus à lui ôter ses responsabilités.

Mon point de vue est que, malgré tout ce qu'on peut dire à son encontre, il faut donner à Mme Nicolas sa chance et les moyens de remplir au mieux son rôle de mère et de femme, autant qu'elle le souhaite, et malgré son immaturité évidente. C'est par elle que nous apporterons quelque chose, à long terme, à ses enfants, dans la mesure où elle aura envie de réorganiser sa vie et la leur pour leur donner l'affection qu'ils réclament et dont elle est capable.

Cette rencontre se termine bien et nous convenons de desserrer l'étreinte d'un régime d'assistance qui risque d'étouffer Mme Nicolas, étreinte à laquelle il faut ajouter l'isolement qui est le sien depuis que son ami l'a quittée et qu'elle est rejetée par le village.

Après coup, je ne peux m'empêcher de songer au rêve de Mme Nicolas. Elle voudrait partir avec ses enfants en ville, habiter une villa ou, peut-être, rejoindre sa famille près de Perpignan. Elle voudrait sortir, voir des gens, s'occuper d'elle, retrouver un homme qui la comprenne, ne pas s'exclure...

Elle avait bien peur, l'autre jour, que ce ne soit pas cela qu'on organise pour elle.

De tous ses enfants, c'est sans doute Luc qui lui pose le plus de problèmes. Mme Nicolas ne peut pas le « commander »; il est tout le temps en vadrouille et fouille toute la maison à la recherche de son porte-monnaie pour lui prendre de l'argent.

J'avais bien remarqué que Luc se méfiait de mon arrivée dans sa famille, et son absence, lors de ma première visite, n'était pas un hasard. Aussi je ne m'en étais pas particulièrement occupé, pour éviter dès le départ de cristalliser les problèmes sur lui. Je lui avais laissé le temps de me repérer. Maintenant, il ne me fuyait plus. Nous étions même devenus bons amis, le jour où je l'avais aidé à bricoler une niche pour son chien.

Aujourd'hui c'est de lui qu'il est question, car ses résultats scolaires inquiètent sa mère; que va-t-il faire l'année prochaine? Luc ne fuit pas et nous pouvons en parler. Comme Mme Nicolas regrette de n'avoir pas de moyen de transport pour aller rencontrer son instituteur, je lui propose de l'accompagner.

Luc est d'accord et doit même prendre rendez-vous pour sa mère et moi-même, un jour prochain, à la sortie des classes.

La semaine suivante, Luc nous ayant obtenu ce rendez-vous, je trouve Mme Nicolas à l'heure prévue, toute pomponnée, heureuse de sortir de son « ghetto » et de provoquer l'envie de ses voisines qui voudraient bien, elles aussi, s'en évader un moment...

Quand nous sommes au CES, Mme Nicolas insiste pour que je vienne avec elle, ayant peur de ne pas parler comme il faut. J'accepte mais je fais très attention à lui laisser toute initiative, lorsque nous parlons avec le professeur de Luc.

Celui-ci est content de voir une mère de famille s'intéresser au travail de son garçon, et c'est avec plaisir qu'il fait un compte rendu des résultats scolaires de Luc en lui expliquant quelle sera son orientation l'année prochaine. Il ira très probablement en classe pré-professionnelle de niveau (CPPN) et, s'il travaille bien, il passera en CET l'année suivante. C'est un garçon qu'il trouve intelligent, mais qui ne fait plus aucun effort depuis la fin du trimestre précédent. Mme Nicolas pense, quant à elle, que cela tient sans doute au départ de l'homme avec qui elle vivait. L'intérêt qu'il portait à Luc était évident et, depuis ce départ, elle a l'impression que son fils lui échappe.

Elle s'explique bien et je n'ai pas grand-chose à ajouter, d'autant que le professeur, comprenant la situation, lui propose de coordonner leurs efforts pour exiger davantage de Luc. Ils décident entre autres de communiquer par écrit ou, mieux, de se voir si cela est nécessaire.

Mme Nicolas rentre chez elle ravie de cet entretien, ayant pris de l'assurance, et bien décidée à s'occuper davantage de Luc. Elle se sent plus responsable et je pense que l'intérêt qu'elle a montré pour Luc doit le stimuler, tout comme sa démarche va stimuler l'instituteur.

Dans mon courrier, je trouve une lettre de l'assistante sociale, double de celle envoyée à Mme Nicolas. Elle lui propose de venir la trouver à sa permanence pour discuter :

— de la réponse du PACT;

— d'un financement possible des travaux;

— de l'allocation mensuelle des deux derniers mois;

— d'un séjour de vacances possible pour elle et ses enfants en famille (c'est à cela que nous étions arrivés pour résoudre le problème des vacances discuté lors de notre dernière rencontre à trois);

— d'un avis du médecin scolaire jugeant nécessaire un séjour à la mer pour Carole.

J'étais au courant de cette lettre. Mme Nicolas l'ayant déjà reçue, m'en avait parlé et comptait faire la démarche proposée.

Je trouve aussi dans cette lettre une réponse positive à l'une de mes préoccupations. Je voulais savoir si cette allocation mensuelle de 1 000 F pouvait être partiellement utilisée, le cas échéant à l'achat de jouets ou au paiement d'activités de loisirs. L'assistante sociale me fait savoir que la directrice du service des travailleuses familiales est d'accord sur le principe et me versera des fonds à ma demande.

Je ne souhaitais pas du tout intervenir de cette façon et gérer les loisirs de la famille Nicolas, mais seulement obtenir une réponse de principe et laisser à la travailleuse familiale la responsabilité totale de cette gestion. Dans mon esprit, cela signifiait d'ailleurs que bientôt cette responsabilité incomberait à Mme Nicolas.

Pour m'en expliquer, je téléphone à la directrice de ce service. A ma surprise, elle semble ignorer totalement ce qu'avance l'assistante sociale dans sa lettre. Je lui explique alors le sens de ma demande. Mais je la trouve fort réticente sur le principe de l'utilisation d'une partie de l'allocation pour financer des loisirs ou acheter des jeux. En cas de nécessité réelle, je peux tout de même lui faire des propositions précises afin qu'elle en apprécie l'opportunité, car elle doit, à son tour, en référer à la direction de l'Action sanitaire et sociale. Comme cela paraît simple...

Aux yeux de cette directrice, Mme Nicolas ne peut de toute façon être responsable. Elle donne des consignes de tutelle dans ce sens à sa travailleuse familiale. Enfin, elle oppose sa « longue expérience » à mes « bons sentiments », « sans vouloir me décourager ».

Le dialogue n'est pas très prometteur et je commence à ressentir, comme Mme Nicolas, les méfaits d'une tutelle qui, ainsi appliquée, oblige à subir les événements.

Cette conversation m'éclaire aussi sur le rôle dévolu à la travailleuse familiale. Celle-ci vient une fois par semaine dans cette famille avec 100 ou 150 F, remis par la directrice, avec pour consigne de faire le marché. Son rôle consiste donc à dépenser cet argent à la place de Mme Nicolas mais non à gérer un budget et encore moins à apprendre à cette mère de famille à le faire.

Je me trouve maintenant ligoté de la même façon.

Je pense plus particulièrement à Luc qui occupe la plupart de son temps libre à pêcher dans les sorgues, en évitant, bien sûr, de tomber sur le garde champêtre... Et si Mme Nicolas s'avisait de souhaiter que son fils soit en règle avec la loi, et désirait lui acheter un permis de pêche? C'est un problème que nous commencerions par évoquer ensemble. Il me faudrait alors en parler à la travailleuse familiale qui, si elle en acceptait l'idée — ce qui est encore possible — rendrait compte de ce souhait à sa directrice. Celle-ci, à son tour, jugerait de l'opportunité de cette dépense en se réfugiant, si nécessaire, derrière l'accord préalable de la direction de l'Action sanitaire et sociale.

Je suppose que Luc restera délinquant en matière de pêche, et que tous les désirs de Mme Nicolas seront aussi facilement muselés... Jusqu'à celui d'offrir une poupée à Carole, dans quelques jours, pour ses dix ans!

Claude Arnaud, Patrick Daniel, Bernard Florentin, Hubert Maxime, André et Jean-Paul Honoré, Marie-Laure Béranger Sébastien Gontran

J'ai parlé de Nathalie, de Charlie et sa famille, de Corinne et David, de Sylvain et ses frères, de Béatrice, de Jean-Marc et des enfants Nicolas.

Et les autres ?

M'arrêter aux premiers sans évoquer ceux-là donnerait une idée partielle et inexacte de ma tâche auprès de chacun.

Philippe, un jeune garçon qui m'est confié depuis peu, a su ce qu'il pouvait attendre de moi quand il s'est situé par rapport aux autres, en me disant, pour évaluer ma disponibilité :

— Je suis le vingt-huitième...

J'évoquerai donc les autres, qui font ces vingt-huit.

Je m'en soucie autant que de ceux dont j'ai parlé plus haut, mais, pour la plupart, je ne les vois pas aussi souvent, soit qu'ils vivent en internat, soit que mon intervention touche à sa fin ou encore s'amorce à peine.

J'ai choisi, pour chacun d'eux, un moment significatif de nos rencontres. Je vais passer très vite de l'un à l'autre, pour revenir parfois à certains : un peu au rythme habituel de mon travail.

CLAUDE ARNAUD

La route est belle mais longue pour aller rendre visite à Claude, douze ans, placé dans un établissement spécialisé, en Lozère, depuis le début de l'année scolaire.

140

Je suis passé tôt ce matin chez lui, prendre sa mère, Mme Arnaud, et sa sœur Hélène. M. Arnaud ne viendra pas. Il vient de reprendre son travail après une longue année de traitement psychiatrique et ne peut se permettre de s'absenter une journée entière.

J'ai connu Claude il y a trois ans. Il se débattait de façon très caractérielle, entre des parents qui réglaient à travers leurs enfants d'énormes difficultés de couple et de personnalité. Ses frères et sœurs, tout aussi concernés, ne réagissaient pas de manière aussi spectaculaire. Une de mes collègues s'est occupée plus particulièrement d'Hélène pendant quelque temps; contrairement à Claude, elle se terrait, inhibée par cette situation angoissante et les conflits permanents du couple. Le comportement difficile de Claude, ses violentes crises de nerfs, le désignaient en apparence comme l'élément perturbateur de la vie familiale. Ses parents démissionnaient et n'en voulaient plus. Lorsque je suis arrivé, toutes leurs démarches n'avaient qu'un seul but, trouver un placement pour s'en débarrasser.

Au cours des deux années passées, il est devenu manifeste que les problèmes de cette famille étaient avant tout ceux du couple. C'est le père qui craqua le premier et dut se faire soigner en hôpital psychiatrique. A cette époque Claude avait accepté d'aller en internat, compte tenu de la situation familiale et dans la mesure où il ne se sentait plus seul en cause.

Claude n'était plus alors « le problème » de la famille; il avait pu, avec mon aide, se démarquer suffisamment des difficultés de ses parents et éviter l'exclusion qui aurait renforcé toutes ses angoisses. D'autre part, le maintien de ma présence dans sa famille, malgré son placement, lui garantissait un retour chez lui dès que possible. J'étais là pour défendre sa place à la maison.

A l'occasion de cette visite, nous allons faire le point sur son séjour là-bas et envisager l'avenir.

Mme Arnaud est une femme en perpétuel mouvement. Nous

nous voyons très souvent, mais elle semble toujours pressée par de multiples tâches. Ainsi, lorsqu'elle vient me voir, à peine est-elle arrivée qu'après un court monologue souvent décousu, elle doit « se sauver » pour une démarche urgente. Chez elle, sa maison est un musée d'ordre et de propreté. Elle passe son temps à ranger et nettoyer, à sa façon, derrière ses enfants, sans être jamais satisfaite... Cette activité est évidemment l'expression d'une profonde anxiété qui ne lui laisse guère de répit; elle est incapable de s'arrêter un instant pour souffler un peu.

Aujourd'hui Mme Arnaud m'explique comment cette promenade pour aller voir son fils va être un moment d'inactivité forcée, le seul qu'elle puisse se permettre. Rivée au siège de ma voiture pour plusieurs heures, elle ne peut faire autrement qu'essayer d'en profiter pour se détendre :

— Dans le fond, me dit-elle, je suis satisfaite d'être contrainte à l'oisiveté; je vais pouvoir parler de moi, cela me fera du bien...

Nous nous étions déjà trouvés dans cette situation à l'occasion d'autres trajets; moments privilégiés, où, disposant enfin d'elle-même, elle s'était donné la parole pour se souvenir et me confier ses inquiétudes.

Cette fois-ci, Mme Arnaud me raconte toutes ses difficultés actuelles et passées; évoquant son enfance et le début de sa vie de couple, elle essaye de les lier au présent. Ce n'est plus le monologue habituel. Elle s'interroge et m'interroge, essayant de mieux comprendre ce qui lui arrive, tout en réfléchissant à l'importance de son histoire personnelle dans sa façon d'être et de faire avec ses enfants.

C'est un dialogue détendu après une période particulièrement difficile. Maintenant Mme Arnaud et sa famille s'organisent avec courage. Ils habitent depuis peu une villa avec un jardin qu'ils ont transformé en potager. M. Arnaud a terminé son traitement et a pu reprendre son travail dès son retour de l'hôpital psychiatrique; ils émergent d'une situation financière difficile; enfin, ils envisagent le retour de Claude à la maison si son comportement le permet.

C'est de ce dernier point que nous discutons, à notre arrivée dans l'établissement, avec le garçon et son éducateur-chef.

En résumé, Claude termine une année bénéfique, tant sur le plan de son comportement qu'en raison de bons résultats scolaires. Il n'est donc pas nécessaire de prolonger son séjour en internat spécialisé, pourtant il serait souhaitable d'envisager une solution intermédiaire, avant un retour définitif à la maison. Claude a besoin d'être suivi avec autorité et la situation familiale, encore fragile, risque de ne pas lui procurer le cadre de vie structuré dont il a besoin.

Mme Arnaud décide de reprendre son fils à condition qu'il poursuive sa scolarité comme pensionnaire dans un lycée. Claude est d'accord.

Au retour, bien qu'elle sache que cela ne va pas lui plaire, Mme Arnaud me parle d'Hélène, toujours silencieuse à l'arrière de la voiture.

Elle ne veut pas la laisser sortir, craignant qu'il ne lui arrive quelque chose avec les garçons... Pourtant Hélène a seize ans et elle est allée seule l'autre jour chez une amie. Mme Arnaud sent bien que cela va se reproduire. Elle ne sait pas comment faire et se rend compte de son inquiétude excessive; d'autant qu'elle se dit arriérée et incapable de parler de ces « choses » avec ses enfants.

Je l'encourage tout de même à poursuivre en lui faisant remarquer qu'elle se soucie à juste titre d'une information sexuelle difficile à faire pour n'importe quels parents. Nous parlons des relations filles-garçons telles qu'elle les a vécues et telles que les jeunes essayent de les vivre aujourd'hui, non sans difficulté. Nous parlons, plus particulièrement, de ce récent pouvoir des femmes de maîtriser puis d'accepter ou non leur fécondité, de cette nouvelle possibilité qui leur est offerte de connaître une vie sexuelle plus libre et plus sûre. Il en résulte un écart énorme entre ce qu'elle a vécu et ce que sa fille va vivre.

Mme Arnaud se rend compte qu'elle ne peut prescrire aucune conduite précise à Hélène et s'en trouve désemparée. Pourtant l'essentiel vient de se passer dans cette discussion en présence de sa fille, et je crois qu'elle est en train de s'en rendre compte. Significative est l'attitude d'Hélène, qui se met à participer à notre conversation : accoudée aux dossiers de nos sièges, elle est très attentive.

Si Mme Arnaud peut continuer à se poser ces questions en évitant de se substituer à sa fille, sans trop d'inquiétude et de jugements de valeur, Hélène en profitera certainement.

Car Hélène est trop dépendante de cette mère envahissante qui régit tout. Son père, dévalorisé, démissionne totalement, et il ne peut lui être d'aucun secours. Tout au long de ce voyage, sa mère a exprimé ses difficultés et son angoisse. Hélène l'a entendue et cela doit lui permettre de s'en démarquer un peu plus, pour mieux se repérer dans son adolescence.

Bien souvent je pense qu'il est tout à fait souhaitable de laisser chacun, parents et enfants, dire ses difficultés en présence de toute la famille, même s'il s'agit de problèmes graves. Cela permet de dédramatiser ce qui se dit de toute façon dans des situations conflictuelles, en évitant un excès de fantasmes; mieux vaut que ces difficultés s'expriment dans de bonnes conditions, au profit de tous.

Quand nous sommes arrivés, Mme Arnaud insiste pour me faire entrer chez elle et m'offrir une boisson fraîche. J'ai hâte de terminer ma journée, mais cela fait partie d'un rituel que je me dois de respecter, malgré l'heure tardive et ma fatigue. Je ne repartirai pas, non plus, sans quelques légumes frais; ils représentent pour cette personne le « paiement » symbolique de la journée passée ensemble.

PATRICK DANIEL

Une matinée par semaine, à jour fixe, j'assure une permanence à mon bureau. Ainsi, mes collègues, les travailleurs sociaux, les jeunes dont je m'occupe et leurs parents peuvent être sûrs de me rencontrer sans avoir à m'avertir de leur passage. Ce matin, M. et Mme Richard arrivent affolés au service, suivis de leur fille Nicole et de Patrick Daniel, le garçon qu'elle aime.

Ils veulent « s'enlever »...!

Tous les deux ont dix-sept ans, se fréquentent depuis quelques mois, et veulent se marier au plus tôt. Nicole est suivie en AEMO par l'un de mes collègues et cela fait quatre ans que je m'occupe de Patrick.

Leur rencontre est une étonnante coïncidence.

M. et Mme Richard me racontent rapidement comment Nicole est partie de la maison hier pour ne plus y revenir... Ils ont eu une violente explication avec elle en voulant la récupérer chez Patrick la nuit dernière. Finalement c'est lui qui l'a raccompagnée. Aujourd'hui Nicole s'entête à nouveau, refusant de vivre plus longtemps avec eux, bien décidée à partir avec Patrick pour se marier au plus vite.

M. Richard ne veut pas entendre parler de mariage précipité pour le moment. Quant à sa femme, elle reste en retrait sans trop rien dire; elle semble impressionnée par l'attitude butée de sa fille. Ils souhaitent rencontrer dès que possible mon collègue qu'ils connaissent bien et me laissent avec Patrick et Nicole pour parler un instant.

Je prends le temps d'écouter leur impatience à vivre ensemble et leurs réactions passionnées à l'encontre de leurs familles qui s'y opposent pour le moment.

Nicole est véhémente, très décidée à ne pas retourner chez ses parents et à aller vivre avec Patrick. Lui est encore très marqué par la scène de la veille au soir, mais il commence à réaliser que l'attitude de Nicole ne les mènera à rien. C'est le désir exclusif de Nicole qui le bouscule en précipitant les événements.

Les vraies raisons de Nicole émergent peu à peu de notre discussion. Si elle réclame le mariage immédiatement, et de cette façon, c'est qu'elle « en a marre de vivre à la maison... ».

145

Se marier est essentiellement pour elle un moyen d'échapper à sa famille.

Mais où iront-ils? N'y a-t-il pas d'autres moyens pour elle d'organiser son indépendance? Et Patrick ne va-t-il pas se retrouver dans une situation délicate vis-à-vis de sa grand-mère chez qui il habite...?

Nicole se calme au fil de la conversation. Après quoi je leur laisse le soin de décider par eux-mêmes de ce qu'ils veulent faire.

En partant, Patrick me demande de passer le voir chez sa grand-mère.

Cette grand-mère, affectueuse mais possessive, a élevé Patrick dès sa petite enfance et en a la garde par décision du juge des enfants. Ses parents vivent chacun de leur côté après s'être remariés, sans jamais s'être beaucoup souciés de lui. Cet abandon a été douloureusement ressenti par Patrick et il n'a pas été simple pour sa grand-mère de l'élever jusqu'à maintenant. A la pré-adolescence, il est devenu un garçon difficile, particulièrement fragile sur le plan affectif, surtout lorsque son père est parti pour un temps sans laisser d'adresse. C'est à cette époque que je l'ai connu.

Le soir même, je fais un saut chez Patrick et sa grand-mère. Celle-ci me raconte à son tour la scène de la veille, et elle le fait dans un patois provençal coloré et chaleureux qu'elle consent à me traduire au fur et à mesure. Elle n'est pas tendre pour Nicole qui vient lui ravir son petit-fils... Mais aujourd'hui Patrick ne s'en offusque pas trop.

Il est furieux maintenant de s'être laissé prendre au chantage de Nicole qui l'a mis ainsi au pied du mur. Après notre rencontre de ce matin, ils se sont expliqués. Il ne veut plus entendre parler de mariage avant la fin de l'année. Et puis Patrick est très contrarié d'avoir manqué une journée de travail.

Nicole est retournée chez elle.

Cet incident masque un moment les différends entre la grand-mère et son petits-fils, mais nous y revenons vite, car elle sent qu'aujourd'hui elle peut prendre l'avantage. Il lui est difficile d'envisager le départ de Patrick, un jour prochain, aussi projette-t-elle de le retenir d'une façon ou d'une autre. Cela donne lieu à de nombreuses disputes auxquelles le village participe trop souvent. Ce soir elle parle d'aménager pour eux un studio sous son toit... Patrick doit défendre farouchement son indépendance et refuse pour le moment toute discussion à ce sujet. Mais cela ne se passe pas toujours avec calme et je vais fréquemment voir cette grand-mère, fatiguée par une longue vie laborieuse, pour la soutenir et l'aider à supporter l'idée du départ de son petit-fils.

Avant de partir, nous convenons avec Patrick de dîner ensemble la semaine suivante : il travaille loin, ne revient pas à midi et rentre tard le soir.

En équipe, au cours d'une réunion d'évaluation, nous évoquons les événements de ces derniers jours.

Pour Patrick, cette crise a des aspects positifs, dans la mesure où, après un temps de recul, il a pu tenir compte des réalités et réagir. C'est plus aléatoire pour Nicole, dont les parents font preuve d'attitudes trop contradictoires; ils alternent permissivité excessive et interdits rigoureux, particulièrement pour tout ce qui a trait à la sexualité, avec en retour des réactions de chantage de la part de leur fille. Nous pensons tout de même que l'attitude de Patrick profitera à Nicole dans la mesure où elle l'aime.

Lorsque je vais chercher Patrick pour l'emmener dîner, sa grand-mère m'attend, pas très contente que nous sortions si tard. Son petit-fils a mal aux dents et elle aurait préféré qu'il se repose. Je crois comprendre que cela ne va pas tout seul entre eux. D'autorité elle lui met autour du cou une écharpe qu'il s'empressera d'enlever dès que nous serons en voiture, pestant contre sa grand-mère qui le couve toujours comme un gamin.

Patrick m'avertit dès le départ : « Ce soir, c'est moi qui vous offre à dîner. » J'essaye bien de l'en dissuader en lui rappelant que nos repas sont payés par le service, mais en vain. Patrick a un bon travail, gagne bien sa vie et tient à m'offrir ce repas. J'accepte en définitive avec plaisir.

Nous trouvons une pizzeria qui nous plaît et, après avoir commandé les pizzas de la maison et le petit vin rosé du pays, Patrick m'expose ses démêlés avec sa grand-mère qui s'obstine à vouloir aménager sous son toit un studio dont il ne veut à aucun prix. Patrick, une fois marié, imagine mal une entente harmonieuse entre sa grand-mère et Nicole. Puis, l'autre jour, sa mère est venue s'en mêler et faire de la surenchère en lui proposant à son tour un logement; elle qui ne s'est jamais occupée de lui... Et toutes les deux ont ressorti des histoires d'héritage avec des terres à partager qui ravivent tous les ressentiments familiaux.

Patrick compte sur moi pour tempérer les exigences de sa grand-mère. Je lui explique ce qu'elles signifient en réalité : la crainte de mal supporter son départ et de se retrouver trop seule. Il n'est peut-être pas nécessaire de prendre les exigences de sa grand-mère au pied de la lettre s'il peut comprendre cette inquiétude.

Avec Nicole, tout va bien depuis l'histoire de l'autre jour. Patrick pense avoir eu raison de s'être montré ferme. Mais, une fois encore, sa grand-mère est intervenue en allant voir M. et Mme Richard pour leur demander « tout de go » si leur fille prenait la pilule... Patrick est furieux.

— Effectivement, nous avons des rapports sexuels, mais cela ne regarde que nous.

Cependant, il éprouve le besoin de m'en parler, étant assuré de ma discrétion. Patrick a peur de « mettre Nicole enceinte » bien qu'il fasse « attention »... Comme je doute de l'efficacité des précautions qu'il peut prendre, nous reparlons longuement de contraception. Patrick n'est pas très décidé à en venir là et Nicole encore bien moins. J'ai l'impression pour ma part qu'elle s'octroie là un pouvoir abusif vis-à-vis de ses parents. Elle sait très bien l'inquiétude qui est la leur à ce sujet.

Trois semaines plus tard, nous en reparlerons à l'occasion d'une autre rencontre et je comprendrai mieux les réserves de Patrick et de Nicole au sujet de la contraception. Patrick m'ayant parlé de rapports sexuels maintenant satisfaisants pour tous les deux, envisagera, alors seulement, la contraception en toute sécurité. Il est difficile pour deux jeunes d'utiliser les moyens contraceptifs dès leurs premiers rapports sexuels avant d'en être satisfaits et de se sentir ainsi plus sûrs d'eux; ou bien il faut une maturité peu fréquente à dix-sept ans.

A la fin de ce repas, Patrick me rappelle notre première rencontre. Il devait aller passer une semaine de vacances en Italie avec sa mère et avait eu très peur qu'un refus de ma part ne vienne contrarier ses projets. Il pensait que je venais le surveiller au nom du juge des enfants. Mais il est parti comme prévu, et s'est aperçu dans les mois suivants que ma présence pouvait lui apporter quelque chose de différent.

Il me dit qu'il a pu se confier et me demander conseil. Il mesure le chemin parcouru en quatre ans et me remercie de l'avoir aidé toutes ces années en lui évitant de « mal tourner »... Il parle plus particulièrement de ce jour où il est parti de chez sa grand-mère pour aller vivre avec son père. Je l'avais aidé à partir et j'avais soutenu sa grand-mère pour qu'elle accepte cette expérience. Bien sûr, il avait idéalisé ce père et, après avoir vécu quelques semaines avec lui, il était revenu très déçu mais plus fort, sachant qu'il ne devait compter dorénavant que sur lui-même et sa grand-mère.

Patrick sait que l'AEMO doit se terminer à sa majorité, ou plus tôt, s'il se marie avant. Il est en train de me dire qu'effectivement il compte de plus en plus sur lui-même et qu'il n'aura bientôt plus besoin de moi. C'est sans doute pour cela qu'il a fait le point ce soir sur notre histoire. C'est bon signe.

Il est tard quand nous rentrons. Nous sommes contents l'un et l'autre de notre soirée.

Patrick me fera signe quand il le jugera bon.

149

BERNARD FLORENTIN

A l'époque où je faisais connaissance de Patrick, il y a trois ans, Bernard, Sabine et Claire vivaient dans leur famille des événements dramatiques qui m'obligèrent, avec l'aide de notre médecin psychiatre, à participer de très près à l'internement d'office de leur mère, Mme Florentin, en hôpital psychiatrique. Probablement pour longtemps...

Leurs parents ayant divorcé quelques années plus tôt, et le reste de la famille n'ayant pas voulu se manifester, Bernard et ses petites sœurs restaient seuls. Sabine et Claire, dont je me suis occupé jusqu'en ce début d'année, ont été placées dans une famille d'accueil une année entière avant d'être réclamées, enfin, par l'une de leurs tantes ; celle-ci sera elle-même « agréée » famille d'accueil, et payée comme telle, pour pouvoir subvenir à leurs besoins. Malheureusement, personne n'a voulu s'occuper de Bernard, déjà trop grand à treize ans pour émouvoir le reste de sa famille et traumatisé par tous les événements passés. Il vit donc, depuis le départ de sa mère, dans un internat spécialisé.

Malgré ce placement, je continue à suivre Bernard. Je suis pour lui le témoin de la maladie mentale de sa mère et de son départ, le lien essentiel avec elle et toute sa famille. J'ai donc pu ainsi éviter une rupture totale — ce dont il bénéficie maintenant — et participer activement à son évolution en internat.

La poursuite de l'action éducative en milieu ouvert, malgré le placement de Bernard en internat, nécessite une double prise en charge financière, soit, respectivement, cent cinquante francs de prix de journée en internat et quinze francs en AEMO. Cela a été possible grâce au juge des enfants d'alors qui en a pris la décision, comme il l'a prise au moment où cela était nécessaire pour Nathalie, Jacky, Sylvain, Georges, Robert, André..., après que nous en avons discuté ensemble. Bien des cas ont montré l'importance et la nécessité de cette double prise en charge, sans laquelle il n'y aurait pas de vraie continuité éducative. Cette nécessité n'est pas toujours comprise par nos mandataires et, actuellement, ces doubles prises en charge sont presque systématiquement refusées. C'est bien dommage.

Bernard a maintenant seize ans et demi. Je le vois régulièrement toutes les trois semaines et je sais qu'il aspire depuis quelque temps à quitter cet internat, malgré la crainte d'un changement, pour aller vivre ailleurs une autre expérience plus stimulante. C'est pour cela qu'avec ses éducateurs, en début d'année, nous avions envisagé dans ce sens son avenir. Il devait se préparer à un départ en faisant des stages professionnels pour affronter, dès qu'il s'en sentirait capable, une vie de jeune travailleur.

La fin d'année approche et aujourd'hui, avant de voir Bernard, je rencontre ses éducateurs.

Nous sommes quatre à cette réunion : le directeur de l'établissement, deux éducateurs en formation et moi-même. Ils me parlent de l'évolution de Bernard, qui fait un stage professionnel en boulangerie depuis quatre mois. Malgré une bonne volonté évidente, il a peu de moyens et montre trop souvent de la passivité. Il doute en permanence de lui-même. En internat, du fait de ses horaires de travail de nuit, il vit souvent à contretemps du groupe, mais dans l'ensemble il s'est fait une bonne place parmi ses camarades, il sait maintenant se faire respecter d'eux quand il le faut, et il manifeste dans les activités sportives un certain dynamisme qui contraste avec sa nonchalance habituelle.

Nous convenons que dans l'ensemble Bernard a tiré profit de son séjour ici, mais il donne maintenant l'impression de se laisser vivre dans l'attente d'autre chose.

Pourtant à mon étonnement, l'un des éducateurs présents s'oppose avec véhémence à tout départ du garçon où que ce soit. La discussion va devenir difficile. Pour lui, Bernard n'est qu'un

« mouflet » sur le plan affectif et ses aptitudes correspondent à celles d'un garçon de douze ans. Cet éducateur va travailler avec le groupe où est Bernard, il désire le garder pour s'en occuper personnellement.

Bernard a réellement des problèmes affectifs qui ne lui permettent pas encore d'utiliser pleinement ses aptitudes, mais il n'est pas pour autant un petit garçon. Il sera majeur dans un an et demi et seul responsable de lui-même. Notre objectif est d'essayer de prévoir dans quelles conditions il pourra évoluer favorablement.

Certes, il est actuellement dans une période difficile que j'évalue en fonction de mes dernières rencontres avec lui. Il appréhende de partir : il exprime ainsi toute son inquiétude de l'avenir et son doute sur ses possibilités. Il est bien ici, en sécurité, mais ces derniers mois montrent qu'il n'évolue plus parce qu'il n'en ressent pas la nécessité. Contradictoirement, il exprime le désir de tenter d'autres expériences, d'établir d'autres relations dans un milieu différent, plus ouvert que cet établissement en pleine campagne et à l'écart où il vit depuis trois ans.

C'est long et pesant trois années d'internat!

Je crois qu'ici Bernard ne peut pas exprimer aussi librement ce besoin de changement : il est attaché à ses éducateurs et à cette maison où il a pu se « rééquilibrer » en toute sécurité, à un moment douloureux de son existence. Maintenant il est prêt à partir si nous l'aidons, dans le cas contraire, nous prenons le risque de le maintenir dans cette attitude de passivité et de dépendance dans laquelle il se complaît depuis quelque temps.

L'autre éducateur, qui n'avait pas dit grand-chose jusqu'à présent, exprime, lui aussi, ce désir de Bernard d'essayer autre chose, mais il se fait violemment couper la parole par son collègue qui affirme mieux connaître le garçon. Celui-ci me paraît décidément prisonnier d'une relation trop exclusive et inexpliquée. Le directeur penche plutôt pour un départ de Bernard en foyer de semi-liberté. Nous en connaissons un qui peut être un milieu d'accueil à la fois stimulant et suffisamment protégé pour que ce passage se fasse en toute sécurité. Il ne serait pas nécessaire que Bernard coupe les ponts avec l'établissement où il est actuellement.

A nouveau le premier éducateur affirme son point de vue sans faire progresser la discussion :

— Bernard doit rester. C'est un avis très personnel mais j'y tiens. Cela n'engage que moi; mais le garçon est de mon avis, il n'y a qu'à le lui demander.

Bernard avait participé à une réunion identique avec d'autres éducateurs à la fin de l'année précédente. L'expérience avait été profitable. Évidemment les conditions ne sont plus les mêmes. Le faire venir arbitrer son avenir entre des gens auxquels il tient me semble bien difficile.

Après tout, ce sera peut-être douloureux, mais la situation est telle qu'il ne peut ignorer nos différends. Mieux vaut qu'il les entende.

On va donc chercher Bernard, mal à l'aise dès qu'il comprend où nous voulons en venir. Le directeur lui demande de faire le point sur son travail et d'envisager l'avenir.

Bernard, assis à nos côtés, est gêné. Il met beaucoup de temps avant d'arriver à parler :

— Il faut que je continue la boulangerie. Je n'y arrive pas bien. J'ai des progrès à faire, le patron me l'a dit... Je resterai au centre l'année prochaine.

Bernard me paraît complètement coincé et dans l'incapacité de s'exprimer réellement : c'est tellement différent du langage qu'il m'avait tenu tous ces derniers temps! Je cherche comment l'aider à sortir de ces réponses stéréotypées, à exposer plus librement son point de vue. Après avoir reconnu que nous le mettions dans une situation de choix difficile, mais qui le concernait avant tout autre, ses éducateurs y compris, je lui parle à mon tour de son travail. Je m'applique surtout à le ramener systématiquement à ses propres sentiments concernant l'intérêt qu'il y porte et les difficultés qu'il y rencontre. Bientôt je peux lui faire remarquer que c'est l'appréciation de son patron qu'il nous a donnée tout à l'heure; son sentiment paraît différent. Ce qui compte, c'est ce qu'il pense de son avenir.

Bernard, tête baissée, finit tout de même par se jeter à l'eau :

— Et puis tant pis..., il faut que je le dise. J'en ai marre de la boulangerie, je ne veux pas continuer. Cela fait plusieurs semaines que je voulais arrêter, mais je n'osais pas le dire...

— Tu ne sais pas ce que tu veux, rétorque le directeur, pourquoi viens-tu de dire, cinq minutes avant, que ce métier te plaisait et que tu voulais continuer?

— Je n'osais pas, répète Bernard, encore inquiet d'avoir enfin osé.

C'est au tour de son éducateur de lui affirmer la nécessité où il se trouvait de dire sincèrement ses choix :

— Veux-tu rester ici ou bien aller ailleurs?

Bernard est maintenant prêt à aller jusqu'au bout de ses désirs :

— Je préfère partir dans un foyer de jeunes travailleurs, j'étouffe ici... trois ans c'est long.

Ce moment a été dur pour Bernard, qui s'éclipse dès que possible.

Je veux, avant d'aller le retrouver, essayer de comprendre avec les éducateurs présents ce qui vient de se passer, car ces quelques instants ont été difficiles pour tout le monde.

A mon avis, ce n'est pas par incohérence que Bernard s'est contredit, mais uniquement par dépendance affective. Nous l'avons mis dans une situation où nous l'avons obligé à faire des choix de personnes, au lieu de lui permettre de se choisir.

L'éducateur qui voulait à tout prix garder Bernard ne veut pas parler de cela et s'en va.

Nous convenons en définitive de proposer à Bernard un essai en foyer de semi-liberté à partir du mois prochain.

Je le retrouve dehors où nous allons nous promener, selon notre habitude, le long d'une petite rivière qui coule tout près, là où il aime parfois aller pêcher en solitaire.

Bernard se libère :

— Je suis soulagé... J'ai bien fait de le dire... Je n'osais pas, j'avais peur que mon éducateur ne comprenne pas. Plusieurs fois j'ai essayé de lui dire, mais, seul avec lui, je n'ai pas osé. Dans le groupe c'était pas possible; il m'aurait dit de tout : que je ne savais pas ce que je voulais, que j'étais un bon à rien de lâcher la boulangerie : une « fillette ». Il n'est pas comme les autres éducateurs. Avec lui, on peut plaisanter, mais quand il dit : « c'est fini », il faut s'arrêter tout de suite, sinon ça tombe! Il est exigeant, mais il a raison, sinon on serait tous des bons à rien. Avec lui j'ai appris des choses et je m'entendais bien. Mais il faut maintenant que j'aille ailleurs. Je ne ferai plus rien de bien ici. Je suis content de l'avoir dit.

HUBERT MAXIME
ANDRÉ et JEAN-PAUL HONORÉ
MARIE-LAURE BÉRANGER
SÉBASTIEN GONTRAN

Hubert, selon son habitude, passe me voir à l'improviste. Il doit partir bientôt à l'armée.

Ce passage inopiné lui ressemble bien. Il est à la dérive, irrémédiablement rejeté par sa famille et nullement prêt à se lancer dans la vie. C'est d'ailleurs pour cela qu'il a décidé de devancer l'appel le jour de ses dix-huit ans. Ce jour-là, ses parents le mettront à la porte avec sa valise et son lit... Ils ne seront plus responsables... Ce sera aussi la fin de l'AEMO.

Je connais Hubert depuis six mois seulement, et ses parents qui ne m'acceptent pas non plus ont écrit au juge des enfants deux mois après le début de l'AEMO pour lui signaler l'échec de mon intervention. C'était également une lettre envoyée au juge des enfants qui avait motivé ma venue malgré l'imminence de la majorité pour cet adolescent. Cette première lettre relatait toute son enfance : Hubert avait vu un grand nombre de spécialistes et avait été souvent placé dans des établissements spécialisés. Ses parents affirmaient en conclusion :

— Nous vous précisons fque les psychiatres et psychologues que nous avons rencontrés n'ont jamais mis en cause l'entente familiale.

Cela pour dire à quel point le problème de leur fils ne pouvait être le leur... A priori il n'était pas question de les y intéresser.

Aucun dialogue n'étant possible chez lui, Hubert venait me parler chaque fois qu'il en ressentait le besoin. J'essayais depuis quelques semaines de l'aider à supporter l'angoisse qui l'étreignait à l'approche de cette fameuse majorité, date à laquelle il pourrait être, légalement, abandonné à son sort.

Aujourd'hui, il veut téléphoner à un oncle susceptible de le prendre pour travailler. Mais ses parents, au courant de son projet, l'ont devancé et complètement démoli aux yeux de cet oncle qui se refuse maintenant à prendre le moindre risque.

Hubert partira donc à l'armée. C'est une structure où il sera en sécurité, ne se sentant pas capable de tenter autre chose par lui-même, malgré nos démarches dans ce sens ces dernières semaines.

M. Honoré, le père d'André et de Jean-Paul, me rattrape dans la rue et m'invite à boire une bière dans un café. Cet homme est déjà très fatigué bien qu'il vienne tout juste de prendre sa retraite. Une vie de travail aux fours a eu raison de sa santé; il souffre de violentes crises d'asthme.

Il n'est pas très facile de parler ici parmi tous ces consommateurs, d'autant que M. Honoré n'en est plus à sa première bière et s'enflamme très vite, prenant du regard et de la voix tout le monde à témoin de ses malheurs. Et actuellement il en a...

Après une longue période où lui et sa femme se sont « levé la parole » ils s'agressent à nouveau très souvent. Aujourd'hui, il a peur de devoir partir se soigner en cure et d'être accusé par sa femme d'abandon de famille. Il ne veut pas perdre ses enfants. Dans un état pitoyable d'épuisement, il dramatise; mais je sais que les intentions de sa femme peuvent justifier en partie ses craintes.

Je lui rappelle qu'ils doivent tous les deux, avec André, aller trouver prochainement le juge des enfants. Lui seul pourra le rassurer sur ce point. Pourtant, je suis inquiet car cet homme est à bout et peut être menaçant pour sa femme. En l'entraînant en dehors du café, je lui propose de nous revoir très bientôt et je l'accompagne un bout de chemin vers chez lui.

Un début d'après-midi, une assistante sociale et un psychologue du dispensaire d'hygiène mentale viennent au service nous parler de Marie-Laure Béranger, une petite fille de sept ans, et de sa mère.

C'est l'histoire d'un couple dissocié depuis un an — dont le divorce est en cours — et surtout l'angoisse d'une mère confrontée à cet abandon et aux réactions de sa fille qui l'inquiètent. Cette femme, dont la personnalité est fragile, a beaucoup de problèmes personnels qui interfèrent dans son rôle de mère. Marie-Laure réagit.

Au dispensaire, le psychologue a proposé à Mme Béranger des entretiens réguliers pour l'aider. Elle s'est dérobée, prétextant un manque de disponibilité et rejetant toutes ses difficultés actuelles sur sa fille. Quelque temps après, l'assistante sociale de cette famille, sollicitée de nouveau par Mme Béranger, pense avec le psychologue du dispensaire qu'une intervention éducative en milieu ouvert pourrait répondre à l'aide demandée par cette femme.

Notre secrétaire prend note des éléments importants qui nous permettront d'en reparler lors d'une réunion d'équipe d'ici quelques jours; cela avant de décider d'entreprendre une AEMO qui, dans ce cas, se ferait sur mandat de la direction de l'Action sanitaire et sociale.

Hubert vient me faire ses adieux. La semaine prochaine il part à l'armée. Nous discutons toute la matinée. Il me parle sans discontinuer de ses démêlés avec sa famille.

J'écoute.

Hubert ne comprend pas ce qui lui arrive. Il ne comprend pas pourquoi il n'arrive à rien. Alors il cherche dans son enfance ce qui a bien pu se passer et remonte ainsi au temps où, tout petit, il vivait chez sa tante. C'est elle qui l'a élevé jusqu'à l'âge de trois ans. C'était sa mère, en somme; sa véritable mère, revenue enfin d'un pays étranger, il ne l'a connue qu'après. Mais le jour où elle est venue le chercher, il n'a pas voulu partir avec elle : « Je veux rester avec maman », avait-il dit en se précipitant dans les bras de sa tante. Il y avait eu un drame. Sa mère, l'autre jour, lui a rappelé tout cela sans lui pardonner ces paroles de tout-petit.

Hubert est au bord des larmes :

— J'avais trois ans..., est-ce qu'un enfant de trois ans peut être responsable de telles paroles? C'est ma mère qui aurait dû comprendre que je ne la connaissais pas...

Quel désastre!

Hubert est parti à l'armée.

Je n'ai pu me libérer de cet adieu que longtemps après. C'est la fin d'une AEMO; un moment difficile cette fois-ci.

André est en internat depuis deux ans alors que son frère, Jean-Paul, vit à la maison. Son père, M. Honoré, que j'ai rencontré l'autre jour au café, doit passer me voir après-demain.

Aujourd'hui, je vais en réunion de synthèse dans l'établissement où est André. Nous allons faire le point sur son séjour.

Moniteurs-éducateurs, directeur et assistante sociale sont présents. Ils trouvent qu'en fin d'année André est difficile, posant beaucoup de problèmes dans le groupe où il joue les durs. De plus, il est impliqué dans une histoire de vol. Je précise que, deux de ses frères aînés étant depuis peu en prison, il y a beaucoup de remous actuellement dans sa famille où père et mère se rendent mutuellement responsables de cet échec éducatif. Cela explique sans doute le comportement actuel d'André.

Le juge des enfants doit les convoquer bientôt. C'est le moment de lui exprimer notre opinion quant à l'avenir du garçon. Nous convenons de lui proposer de maintenir André en internat, mais dans un autre établissement, avec des adolescents puisqu'il va avoir quatorze ans. Il est impensable qu'il retourne chez lui l'année prochaine; ses parents ne le souhaitent d'ailleurs pas. Les risques de délinquance sont trop grands.

Le jour dit, M. Honoré vient me voir.

Je suis sans doute la seule personne qui supporte de l'écouter ; ce qui est difficile, tant il plaide sa cause en victime innocente, rejetant tous les torts de ses échecs conjugaux et éducatifs sur sa femme. Elle, de son côté, l'exclut autant qu'elle le peut de la vie familiale.

Après beaucoup de propos sur lui-même, il peut me parler un moment de ses enfants : des aînés en prison, de l'avenir d'André et de Jean-Paul. Mais il démissionne tellement. Comme sa femme, pour mettre ses enfants de son côté, autorise tout, et se fait même leur complice, le résultat est désastreux.

Je ne suis pas optimiste. En trois ans, ils n'ont pas changé grand-chose à leurs problèmes de couple. Je n'ai pu qu'être patient, et peut-être ainsi le pire a-t-il été évité : dans la mesure où les conflits sont supportables pour tous.

C'est d'accord, il viendra pour une fois chez le juge des enfants avec sa femme et André. Il pourra ainsi exposer de vive voix ses inquiétudes concernant son départ en cure.

Après réflexion en équipe sur le signalement de l'assistante sociale et du psychologue du dispensaire d'hygiène mentale, nous décidons d'intervenir auprès de Marie-Laure Béranger et de sa mère.

Nous pensons, a priori, au vu de la personnalité de Mme Béranger, ne pas nous intéresser exclusivement à Marie-Laure. Toutes ses réactions actuelles, son instabilité, ses crises, ses échecs scolaires, viennent d'une relation difficile avec sa mère, et les problèmes personnels de celle-ci en sont la source. Il est préférable d'être deux dès le départ dans cette famille, avec des objectifs précis. Ce cas m'intéresse, j'ai une place libre depuis le départ d'Hubert, j'interviendrai donc auprès de Marie-Laure, et éventuellement auprès de sa mère, mais toujours à propos de Marie-Laure. La psychothérapeute de notre service verra Mme Béranger pour elle seule.

Pendant trois ans, une collègue éducatrice et moi-même avons suivi Sébastien Gontran, avant que l'inévitable puisse se faire dans de bonnes conditions pour lui comme pour sa mère : Sébastien vit maintenant en internat à Aix-en-Provence depuis la rentrée scolaire. Il a maintenant quatorze ans.

Non sans difficultés, j'ai obtenu une date précise pour aller participer à une réunion de synthèse dans cet établissement.

L'avant-veille, à l'heure du déjeuner, je vais trouver M. et Mme Gontran pour les avertir de ma démarche et connaître leur avis sur l'évolution de Sébastien.

Ils sont contents de son séjour à Aix. Surtout Mme Gontran, qui est soulagée de bien supporter cette séparation encore impensable l'année précédente tant sa relation à son fils unique était possessive et exclusive. Le drame en était l'aspect pathologique, mère et fils se faisant beaucoup de mal sans avoir pu jusqu'à ce départ se passer l'un de l'autre. M. Gontran n'intervenait jamais.

Sébastien revient chez lui tous les quinze jours. Ses parents me le décrivent comme un peu amorphe, vivant tranquillement dans son coin. Il n'y a plus de conflit; seulement un certain chantage affectif qui les exaspère dans la mesure où, lorsqu'il est à la maison, il attend avec impatience de partir pour Aix et vice versa.

M. et Mme Gontran demandent que Sébastien reste en internat l'année prochaine. Avant de me quitter, ils me racontent, très gênés, une sombre histoire de revue pornographique que Sébastien aurait emportée là-bas... Ils s'inquiètent beaucoup de ce que l'on va penser d'eux.

Il n'y a que Mme Honoré et André au rendez-vous fixé par le juge des enfants. M. Honoré se fait excuser par sa femme. Il est malade.

Une fois réglé le problème du larcin, André a tendance à nier toutes ses difficultés actuelles. Mme Honoré, comme à l'accoutumée, les minimise également et excuse son fils : pour elle, il n'y a jamais de problèmes. Je suis très embarrassé. Le rapport de l'établissement sur le comportement d'André n'est pas arrivé au juge des enfants, qui a donc peu d'éléments d'appréciation. Pourtant, en fonction des difficultés familiales actuelles, je ne peux aller dans le sens ni de l'un ni de l'autre. Aussi, je prends la parole pour souligner cet aspect et obliger André à parler de façon plus réaliste de son comportement à la maison comme en internat sans escamoter les problèmes. Mère et fils sont un peu étonnés; ils ne sont pas habitués à m'entendre intervenir de façon aussi directe. J'ai pensé que c'était maintenant nécessaire pour l'un comme pour l'autre.

Le juge des enfants décide en accord avec Mme Honoré, moi-même, et l'établissement, la poursuite de l'internat l'an prochain. André ira dans un autre centre lui convenant mieux.

En allant à Aix-en-Provence participer à cette réunion concernant Sébastien, je pense à son dernier coup de téléphone et à l'importance symbolique qu'il attache à ce moyen de communication. Cela illustre tout à fait la personnalité du garçon et ses difficultés.

Lorsque j'ai connu Sébastien, le téléphone, au coin de mon bureau, l'a attiré comme un objet magique évoquant l'univers obsessionnel et angoissé qu'il partageait avec sa mère. A cette époque, Sébastien essayait de rompre le cercle de ses peurs en les provoquant, au grand émoi de son entourage; c'est ainsi, par exemple, qu'il jouait dangereusement avec le feu ou l'eau.

Mon téléphone fascinait donc Sébastien. Il a longtemps tourné autour, puis l'a manipulé avant d'arriver à s'en servir. Cet objet, sa mère en parlait avec beaucoup d'appréhension et de mystère sans jamais l'avoir utilisé. Sébastien allait pouvoir le démystifier par lui-même et avec moi en toute sécurité.

Il l'a utilisé d'abord n'importe comment, l'essentiel étant pour lui de satisfaire un désir impératif sans interdit de ma part. Puis, peu à peu, les réactions à l'autre bout du fil et mes conseils lui ont permis de l'apprivoiser et de maîtriser quelques peurs paniques. C'est ainsi, notamment, qu'il mourait d'envie d'appeler les gendarmes dont il avait une telle frousse qu'il plongeait sous le tableau de bord de ma voiture chaque fois que nous en croisions un par hasard. Il faisait leur numéro et raccrochait en toute impunité dès qu'il obtenait un correspondant.

A la même époque, il a entièrement démastiqué un des carreaux de la porte d'entrée du service un jour où il n'y avait personne. Je me suis longtemps demandé quelles pouvaient être les raisons de cette effraction. Je ne l'ai su que beaucoup plus tard : Sébastien voulait téléphoner à tout prix et je n'étais pas là.

Plus tard, à un moment difficile de notre relation, il m'avait dessiné un téléphone décroché ne pouvant exprimer autrement son désarroi. C'est aussi par le dessin qu'une autre fois il m'avait demandé de téléphoner à quelqu'un de sa famille; très culpabilisé par une histoire de vol commis récemment, il n'osait pas m'en faire la demande oralement.

A Aix, en internat, c'est également par ce moyen qu'il s'est assuré de ma disponibilité, un jour où c'était difficile pour lui. Je suis allé très vite le voir, connaissant l'importance d'un tel appel. Le seul fait de m'être déplacé a suffi; il n'avait rien d'autre à me dire. Ma venue était l'essentiel.

Il m'a téléphoné la semaine passée pour s'assurer de mon passage aujourd'hui.

Lorsque j'arrive dans l'établissement, je suis accueilli un peu comme un « éducateur en promenade » : vieille rivalité désuète entre éducateurs d'internat et de milieu ouvert, car après deux heures de réunion nous avons pu mesurer l'importance et la complémentarité de nos rôles respectifs. Cela nous a permis de parler de Sébastien avec profit.

Lorsque nous en avons fini et que je les quitte, j'aperçois Sébastien qui guette à l'une des fenêtres de l'internat. Il vient me rejoindre dans le parc.

Un peu inquiet tout de même des résultats de ce long conciliabule, il s'enquiert tout de suite :

— Est-ce que vous êtes content de moi?

Ma satisfaction découle de la sienne. Sébastien s'est bien adapté à sa nouvelle vie en groupe. Ses éducateurs s'intéressent à lui et il les apprécie.

Je ne peux rester longtemps. Aussi je lui propose d'en reparler plus longuement une autre fois, quand ses éducateurs lui auront donné leur point de vue et auront confirmé la prolongation de son séjour.

Nous avons convenu, au cours de cette réunion, que Sébastien pourrait rester en internat l'année prochaine si tel est le souhait de ses parents, et j'ai proposé d'interrompre mon intervention AEMO. Cela va obliger, entre autres, M. et Mme Gontran à considérer maintenant l'établissement où est leur fils comme leur principal interlocuteur. Je verrai le garçon encore quelques fois pour préparer mon départ. Maintenant Sébastien a suffisamment confiance dans les adultes qui l'entourent pour que je me retire sans inconvénient pour lui. Vis-à-vis de ses parents et de lui-même, je resterai un recours si cela s'avérait nécessaire. Sur l'autoroute qui me ramène d'Aix en Avignon, je perds la notion de temps, avec la sensation de faire du porte à porte tellement je suis absorbé par mes pensées. Sébastien m'a tant accaparé et préoccupé pendant toutes ces dernières années que j'ai mis dans mes actes professionnels beaucoup de moi-même. Aussi, au moment de me retirer, je ressens le contrecoup d'une si longue prise en charge. Je me prépare à cette interruption, afin que Sébastien la vive bien, comme son séjour actuel en internat le laisse présager.

C'est mon premier rendez-vous avec Mme Béranger et Marie-Laure. Toutes les deux m'attendent. Marie-Laure, sur les injonctions de sa mère, reprend sa place dans la salle de séjour où elle est en train de faire un collier de perles.

Sa mère parle. Justement, depuis une semaine, elle a décidé de reprendre Marie-Laure en main. Ce qu'elle veut avant tout, c'est de la tenue et de la politesse, mais sa fille est dure et pique des crises de nerfs qui alertent les voisins; ce qu'elle supporte mal. Son mari, avant leur séparation, représentait l'autorité. Maintenant, c'est elle. Les premiers six mois ont été difficiles, mais depuis quelque temps cela va mieux, me dit-elle, aussi elle peut s'occuper à nouveau de sa fille.

Mme Béranger veut ainsi me faire comprendre l'inutilité de ma démarche. Je me garde bien de m'arrêter à cette première impression. C'est une réaction de crainte et de défense bien compréhensible devant un étranger. Ses difficultés sont si personnelles! Je dois maintenant essayer de réduire cette appréhension le plus possible.

Mme Béranger me parle beaucoup de la situation scolaire de Marie-Laure, qui est en cours préparatoire et n'arrive pas à apprendre à lire. Elle ne comprend pas les raisons de cet échec, mais se montre apparemment conciliante en acceptant l'éventualité d'un redoublement, avec l'espoir que cela aille mieux en septembre.

Marie-Laure joue, très attentive à tout ce que nous disons. De temps en temps, j'essaye de la faire participer en m'intéressant à ce qu'elle fait. Je lui demande son avis sur certains propos de sa mère, qui s'empresse alors de répondre à sa place. Marie-Laure a manifestement envie de mieux me connaître et, séductrice, propose de me faire un collier. Vite à l'aise, elle est aussi très instable sous la surveillance de sa mère qui s'efforce de limiter toute expansion de sa part.

Au fil des minutes la conversation devient moins solennelle et nous parlons bientôt de tous ces petits événements importants de la vie quotidienne qui font les journées bien remplies. Surtout pour une femme qui doit, seule, travailler et élever sa fille.

Mme Béranger m'offre l'apéritif et, quand je prends congé d'elle un peu plus tard, exprime son intérêt pour notre discussion. Pourtant elle m'assure à nouveau que tout va bien, me proposant de repasser la voir d'ici quelques mois.

J'ai le sentiment que cette femme ne peut réagir autrement que par la fuite. Si j'accepte trop facilement ses réserves, je crains qu'il n'y ait aucune nouvelle démarche de sa part. Je crois donc nécessaire d'exprimer mes exigences et j'insiste sur la nécessité de nos rencontres, même si actuellement elle pense que ce n'est pas nécessaire : ce n'est qu'en nous connaissant mieux que je pourrai lui être utile plus tard.

Plus que mes explications, c'est ce premier contact facile qui a finalement raison de ses réserves. Nous pouvons passer une sorte de contrat : pendant les six mois qui suivent, je verrai Marie-Laure tous les quinze jours, et de temps en temps avec sa mère. Après quoi, Mme Béranger jugera mieux de l'utilité de mon intervention et nous déciderons alors s'il y a lieu de la poursuivre.

J'irai chercher Marie-Laure à son école la semaine prochaine.

Je terminerai ce témoignage par le poème d'un adolescent. Sa souffrance est provocante. Elle est avant tout un appel : « *Si à la fin, vous n'êtes pas sceptique sur l'existence en général, alors on ne peut rien pour vous, sauf vous envier...* »

Fabrice

Il y a déjà longtemps...
Fabrice sortait une nouvelle fois de l'hôpital psychiatrique
après une cure de désintoxication et venait habiter un petit village
du Lubéron pour se « terrer » dans un mas qu'un ami lui avait
prêté.
Il y est resté plusieurs semaines.
Fiché par la police pour usage de drogues, des gendarmes sont
venus perquisitionner sa maison et voler ce poème que je vais
vous restituer...

Fabrice avait fait une tentative de suicide.
C'est après, à la demande du juge des enfants, que je suis allé
le rencontrer dans son refuge.
J'ai trouvé portes et volets clos.
La seule lumière du jour est une agression,
ma venue bien davantage...
Pourtant Fabrice a bien voulu me recevoir.
Il vit là avec une femme de beaucoup son aînée qui le
« materne » et l'aime. En retour, il lui communique toute l'an-
goisse qui noue ses peurs.
Elle est fragile et sur le point de craquer.
Je crois que ma venue la rassure un peu.
Pour le reste, ils m'ont beaucoup apporté.
Ils partagent leur « mal de vivre » dans une petite chambre
aménagée à leur façon. A même le sol, il y a un matelas, des

couvertures et une multitude de coussins de toutes les couleurs qui dans la pénombre les ensoleillent.

Le chauffage est poussé à fond. Il fait chaud. Il fait bon se laisser vivre dans ce cocon de plumes qui apaise leurs angoisses et mes appréhensions.

C'est dans cette ambiance ouatée, assis par terre et bercés par une musique « pop », en sourdine, qu'ils m'ont fait partager quelques heures de leur existence douloureuse...

Ils parlent tout bas, sur le ton de la confidence, comme pour se protéger des mots qui blessent et de cet inconnu que je suis.

Fabrice raconte et me fait mieux comprendre ce que Béatrice, Sylvain, Charlie, Nathalie et tous les autres ressentent à des degrés divers, sans avoir ni la drogue, ni son intelligence pour le crier...

Copie des écrits découverts chez Fabrice (manuscrits)

Maintenant, je n'existe plus qu'avec d'extrêmes difficultés,
c'est déjà d'un autre que je parle, de celui qui portait un nom, que
vous avez connu peut-être, que vous avez vu marcher à travers les
rues de la ville, à toute heure du jour et de la nuit, de celui qui portait
un nom,
et que peut-être vous avez aimé.
La nuit se fait de plus en plus obscure
l'air s'épaissit.
Je volais
je marchais
je rampe
je rampais
je suis mort
j'étais mort
car il y a bien des manières de mourir...
Atmosphère brûlante
martyrisant mon crâne,
atmosphère étouffante
alourdissant mon cœur
contractant mes muscles,
atmosphère de 68.
Il faut faire péter la société
il faut éliminer le despotisme,
toute tyrannie,

il faut arriver à l'anarchie non utopique
dans le monde entier.
C'est possible si la jeunesse existe
alors nous ferons de l'élysée une immense patinoire
et du palais de justice un immense bordel et ainsi de suite,
jusqu'à ce que l'atmosphère redevienne apaisante et laisse
le crâne, le cœur et le muscle en paix.
Ce sera alors Noël tous les jours et l'on saura de nouveau
que l'amour existe.
La nuit m'appelle
m'attire
me fascine
et dessine
l'image de celui que je crois être;
elle est belle par son mystère
je l'aime
elle me veut
elle m'envoûte
elle m'aura,
viens à moi seringue,
douce,
tendre seringue contenant   pégase,
viens à moi
permets-moi de m'envoler
permets-moi de partir la rejoindre
permets de devenir elle.
On n'a pas ses racines en terre
interposition du macadam
on ne peut plus jacasser avec le ciel
calotte silencieusement décevante
désarticulé l'homme de la ville
pantin poussé à bout
sons, images,
              têtes éparpillées,
                         feux hors la joie,

corps en manque, corps en mal
portent des coups sourds aux autres
dans la foule folle des murs
tente de parler d'une justice
amère.
S'accélèrent chocs et vides
dans ce fouillis, bétons, ferrailles, pourriture,
nos constructions se tanguent vers d'énormes naufrages...
Terre trahie
aile pantelante,
nue sur le macadam
gris,
nue sur le monde couleur
merde,
couvercles
chapeaux
principes
le rêve presse les parois de ma tête à éclater
vouloir finir ?
vouloir partir ?
vouloir mourir ?
pour vivre enfin
   peut-être.
Marionnette désarticulée
n'ayant plus qu'un fil pour la maintenir en vie,
faisant face à tous les pantins
équilibrés du monde démoralisant de la troisième dimension,
je suis et j'entends le rester.
Fasse que la drogue
coupe ce fil afin que je devienne le « hola » et que l'échappatoire
soit complet,
Fasse que la drogue me fasse devenir celui-là, afin que cet
apaisement qui vous paraît si angoissant, vive enfin.
Hommes
regardez-moi,

Fixer ce couteau de vos yeux
trop brillants déjà.
Maintenant, je choisis,
  je crache,
je vous projette mon cœur à travers
  la gueule,
vous y voyez
  la rage et la puissance,
  l'avarice et la vanité.
Vous rougissez ?
  pourquoi ?
Cela vous fait-il donc si peur de voir votre sosie ?
L'avenir de l'idéal
c'est l'action quotidienne
qui fait de l'idéal un avenir,
l'avenir de l'illusion
c'est l'action quotidienne
qui fait de l'illusion un avenir...
On pourrait aller loin ainsi mais la logique de l'illogisme
fait quelquefois peur, alors démerdez-vous et si à la fin vous
n'êtes pas sceptique sur l'existence en général, alors on ne
peut rien pour vous, sauf vous envier.
  Torture
  Torture
  Torture
Tordue torture d'un esprit tors torturé.
Dommage que je sois athée
sinon je prierais le diable
de venir me voir
et de me sauver ;
si tu existes Dieu, toi dont la fourche élargit mes
pores pour mieux faire couler la sueur,
  je te maudis
si tu existes Lucifer, toi qui me permets de goûter à l'existante
saveur qu'est le sang d'un nouveau-né,

je te bénis.
Côté sadique du bonhomme peut-être,
mais vous êtes pire que moi
vous les papes et présidents
juges et bourreaux
et toute la clique
qui fait clac dans le cœur d'un homme lorsqu'il a le courage
de se regarder dans la glace,
face à vous.
Cigarette allumée par l'angoisse du moment où le cœur
se fige dans le désespoir, tu m'es plus chère que le meilleur
de mes amis.
Irréel moment du temps présent où se fixe le passé, tu
empêches le futur de devenir destin, tu ne le laisses qu'être le
hasard.
parla, parla quoi
parla monde, parla vie
prends ma vie, croque-la, avale-la
je te la donne...
Fantasmes arrachés à la drogue
Illuminations dépourvues de sens
ou
incroyable, effrayante vérité pesant sur mes épaules?
Ma plume, je le sens, je le sais, tient la clé du mystère
attendez, lisez la fin,
mais où donc est passé cet encrier?
et la table et la pièce?
Il me reste peut-être assez de temps pour vous prévenir
que vous devez...
Je suis maintenant pas là.
Tremblez, je vais venir vous rassurer.

Table

IMPRIMERIE HÉRISSEY, ÉVREUX
D.L. 1er TR. 1978 No 4787 (20593)